CB040343

A
E
TER
NI
DA
DE
CONFORME
OS
ASTROS

A ETERNIDADE CONFORME OS ASTROS

AUGUSTE BLANQUI

Organização e apresentação
MÁRCIO SELIGMANN-SILVA

Prefácio
JACQUES RANCIÈRE

Posfácio
LISA BLOCK DE BEHAR

Tradução do francês
PEDRO PAULO PIMENTA

Tradução do espanhol
MARIA PAULA GURGEL RIBEIRO

ILUMINURAS

Título original
L'éternité par les astres

Capa e projeto gráfico
Eder Cardoso / Iluminuras

Preparação
Jane Pessoa

Revisão
Milagros Luna
Editora Iluminuras

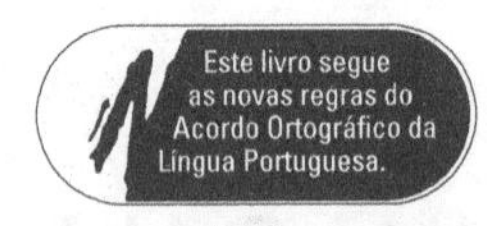

CIP-BRASIL. CATALOGAÇÃO NA PUBLICAÇÃO
SINDICATO NACIONAL DOS EDITORES DE LIVROS, RJ
B576e

Blanqui, Louis-Auguste, 1805-1881
A eternidade conforme os astros / Louis-Auguste Blanqui; organização Márcio Seligmann-Silva; tradução Pedro Paulo Pimenta, Maria Paula Gurgel Ribeiro. - 1. ed., - São Paulo: Iluminuras, 2018.
136 p. : 21 cm.

Tradução de: L'éternité par les astres
ISBN 978-85-7321-580-9

1. Filosofia francesa. I. Seligmann-Silva, Márcio. II. Pimenta, Pedro Paulo. III. Ribeiro, Maria Paula Gurgel. IV. Título.

2020
Editora Iluminuras Ltda.
Rua Inácio Pereira da Rocha, 389
05432-011 - São Paulo - SP - Brasil
Tel./ Fax: 55 11 3031-6161
iluminuras@iluminuras.com.br
www.iluminuras.com.br

SUMÁRIO

APRESENTAÇÃO

O ETERNO RETORNO E O SEMPRE-IGUAL: *A IMORTALIDADE CONFORME BLANQUI*

Márcio Seligmann-Silva

"O que escrevo neste momento numa cela do forte de Taureau, eu escrevi e escreverei através da eternidade, numa mesa, com uma pluma, com uniforme, em circunstâncias similares. E assim para os demais homens."

Blanqui, *A eternidade conforme os astros*

A eternidade conforme os astros, *é, sem sombra de dúvidas, uma das obras mais intrigantes legadas pelo século XIX. Seu autor, Louis-Auguste Blanqui (1805-1881), foi uma figura-chave dentre os revolucionários daquele século. Ele encarnou como poucos a face ativista da Modernidade que despontava então. Se é verdade que a Modernidade foi inaugurada pela Revolução Francesa, uma de suas principais lições é que os homens podem fazer o seu destino com as próprias mãos. Desde 1827, no combate contra Carlos X, a vida de Blanqui foi marcada pela participação em atos revolucionários, sempre entrelaçando a paixão e a violência revolucionária como dois impulsos irmãos, que acabaram o condenando a passar 37 anos de sua vida na prisão. Sua última libertação se deu em 1879, graças às campanhas de Victor Hugo e de Georges Clemenceau.*

Foi na prisão que ele escreveu este singular texto sobre os astros, no qual propõe uma visão da história que explode com a ideologia do progresso, mas que também, paradoxalmente, suspende o ato revolucionário. É como se, impossibilitado de revolucionar o mundo, a Terra, ele se voltasse para as revoluções planetárias e estelares como escapatória de seu encarceramento. Mas as coisas não são tão simples, afinal, ao mesmo tempo ele redigiu seu livro Capital e trabalho, que não contradiz em nada sua carreira de revolucionário e teórico do comunismo e de economia política. Como ler este livro enigmático?

A Comuna de Paris de 1871 não pode ser entendida sem a participação dos blanquistas. Blanqui mesmo foi preso na sua véspera, e um ano depois escreverá sua A eternidade conforme os astros. É essencial, portanto, recordar o que foi a atividade política de Blanqui e a Comuna para entendermos o éthos de então. Como já se observou, essa foi "a mais prestigiosa e mítica das revoluções abortadas" (Achcar, p. 23). Ela é vista tanto como o encerramento do ciclo revolucionário iniciado em 1789, como também é descrita como a primeira das revoluções no modelo que vingará no século XX. As bandeiras vermelhas são pela primeira vez onipresentes. Funda-se uma república proletária em Paris e essa cidade é fechada por barricadas, como, quase um século depois, em 1968. Contra o governo de Louis Adolphe Thiers, a Comuna aposta no contágio revolucionário. Chegou-se até a distribuir panfletos aos trabalhadores do campo através de balões que resumiam as reivindicações desta forma: "Terra para o camponês, ferramenta para o operário, trabalho para todos" (Achcar, p. 28). Mas, apesar da repercussão dessas ações em outras cidades, como Lyon, Marselha, Toulouse e Limoges, os levantes foram todos sufocados. Em um ato simbólico, espécie de mimetismo da tomada da Bastilha em 1789, a coluna da praça Vendôme, que tinha em seu topo a imagem de Napoleão como César e fora erigida em 1810 para comemorar o "triunfo" na batalha de Austerlitz, foi "triunfalmente" derrubada em meio à Comuna. Essa ação destruidora foi justificada pelo conselho da Comuna com estas palavras:

> A Comuna de Paris, considerando que a coluna imperial da praça Vendôme é um monumento de barbárie, um símbolo de força bruta e da falsa glória, uma afirmação do militarismo, uma negação do direito

internacional, um insulto permanente dos vencedores aos vencidos, um atentado perpétuo a um dos três grandes princípios da República francesa, a fraternidade, decreta: artigo único — A coluna Vendôme será demolida.

A fúria revolucionária converte-se em destruição dos símbolos do passado. Essa mesma retórica blanquista depois será repaginada por Walter Benjamin em seu Sobre o conceito da história. *Diferentemente da Bastilha em 1789 e do muro de Berlim, em 1989, essa coluna, no entanto, foi reconstruída. A virada desejada, a revolução, não ocorreu. A Comuna se encerrou com a semana sangrenta, na qual Paris foi incendiada, cerca de 20 mil parisienses morreram, sendo 17 mil executados, e com 40 mil prisões que resultaram em 13.450 condenações (Achcar, p. 35). Com relação a esse Blanqui comprometido com as lutas revolucionárias do seu século (1830, 1848 e indiretamente 1871), Benjamin anotou em seu "Paris do Segundo Império": "Blanqui, o mais importante dos chefes de barricadas parisiense, estava na época confinado em sua última prisão, o* Fort du Taureau. *Em sua retrospectiva sobre a Revolução de Julho, Marx viu nele, e em seus companheiros, 'os verdadeiros líderes do partido proletário'. Dificilmente se pode exagerar o prestígio revolucionário que Blanqui então possuía e que manteve até a morte. Antes de Lênin, não houve quem tivesse aos olhos do proletariado traços mais distintos" (Benjamin, 1989, p. 13). Citando Marx, Benjamin ainda associa conspiradores profissionais como Blanqui a portadores de "ideias fixas" (Benjamin, 1989, p. 15). Essa definição é importante, pois já adianta, na figura da obsessão, as noções de eterno retorno e de sempre-igual, fundamentais na leitura que Benjamin fará de* A eternidade conforme os astros.

E o líder Blanqui, na prisão, como ele traduz esse sentimento revolucionário da Comuna em seus textos? O que propõe esse livro de 1872? Não lemos nele uma palavra sobre as injustiças, a luta revolucionária, a opressão da classe trabalhadora. Tudo se passa como se Blanqui tivesse se tornado uma espécie de comentador ou divulgador da literatura científica de sua época, voltada para a astronomia. Não se trata de uma paródia dessa literatura, nem sequer de uma alegoria — apesar de que, como é sabido, nada nos impede de ler o livro como tal. Mas o texto não nos dá pistas claras nesse sentido. Antes, somos autorizados a ler nele a tradução de um estado psicológico, de uma situação social, nos termos de um tratado de astronomia.

A teoria da história contida nesse texto, como Benjamin notou, adianta em dez anos a teoria nietzschiana do "eterno retorno". Mais ainda, se Benjamin viu em Baudelaire o poeta da modernidade, que conseguiu introjetar na lírica os "choques" que marcam a vida moderna, Blanqui foi quem introduziu os choques na sua teoria histórica cósmica, com consequências bem distintas do que se passa em Baudelaire. Se nesse poeta víamos a descrição do indivíduo moderno, marcado pela angústia e pela melancolia, em Blanqui temos, de modo inesperado, a conquista da imortalidade. Ele trata de choques de renascimento. Sim, pois, no fundo, A eternidade conforme os astros *não é nada mais do que a* nossa *eternidade através dos astros.*

Se a revolução francesa introduzira uma radical secularização das formas de se representar o tempo e o devir histórico, com este tratado de Blanqui o tempo é como que superado. Ele é traduzido em um espaço infinito e, em seguida, fragmentado. Paradoxalmente, essa pulverização do tempo engendra a nossa eternidade. Como isso é possível? O leitor verá que, para Blanqui, o que se passa na Terra não é uma história única. O Universo é infinito, infinitas são as estrelas e planetas. A limitação de produtos químicos que compõem o universo, descoberta então pelas análises espectrais dos astros, que introduziram a química no estudo da astronomia, implica essa necessária repetição. "A natureza tem em mãos cem corpos simples para forjar todas as suas obras e adequá-las a um molde uniforme: 'o sistema estrelo-planetário'. Nada a construir além de sistemas estrelares, e cem corpos simples para todos os materiais é muito a fazer com poucos instrumentos. Certo, com um plano tão monótono, e elementos tão pouco variados, não é fácil engendrar diferentes combinações, suficientes para habitar o infinito. O recurso às repetições torna-se indispensável." O infinito universo é lido como uma infinita e monótona repetição do mesmo, do eterno retorno. Ao contrário do caos, vigora a ordem. Mas também esse estado pode ser lido de outra forma, como realização natural da "paz na terra" (a pós-história que a revolução deveria instaurar) sob a forma de "paz no universo": "[...] a análise espectral revela a unidade de composição dos corpos celestes. Mesmos elementos íntimos, por toda parte; o universo é um conjunto de famílias unidas de algum modo por carne e sangue. Mesma matéria, classificada e organizada pelo mesmo método, na mesma ordem. Fundo e governo idênticos. É o que parece limitar singularmente as dessemelhanças e escancarar a porta aos menecmas".

Com essa teoria Blanqui anuncia que existem planetas sósias: "A natureza tira milhares de exemplares de cada uma de suas obras. Na textura dos astros, a similitude e a repetição formam a regra, a dessemelhança e a variedade, a exceção". Podemos ler aqui tanto uma tradução "científica" da antiga doutrina que projetava no mundo criatural uma cadeia de semelhanças e de repetições (que se desdobra também nos poemas de Baudelaire, lembremos de seu poema "Correspondências"), como também um sintoma da modernidade que, como Benjamin observou, é marcada pela serialização, pelo que denominou de reprodução técnica. A fotografia seria o triunfo dessa ideia: ela é uma forma de arte que traz em sua essência a reprodutibilidade e o fim da ideia de que existe um original. Também Blanqui diz que não existem planetas originais ou originários: "não há originais", tudo é reprodução.

Portanto, em vez de impossibilidade e de ceticismo diante da vida em outros planetas, temos uma certeza desse fato. "Parece [...] difícil crer que a natureza, executando a mesma tarefa com os mesmos materiais e sob a mesma direção, não seja constrangida a adotar o mesmo molde. O contrário é que seria surpreendente". E, como os mundos são tendencialmente infinitos, é impossível também que não existam planetas como a Terra. E, novamente, como essa possibilidade *também é "número inimaginável" (ou seja, uma ordem numérica que tende ao infinito), é também necessário que existam mundos idênticos. Assim também é uma verdade o fato de que coexistem mundos nos quais tudo acontece sincronicamente como na Terra agora, ao lado de outros nos quais tudo o que já aconteceu está se dando agora e com outros, que já vivem em nosso futuro. Blanqui escreve sobre os universos como se estivesse descrevendo a técnica da fotografia (ou o processo de reprodução de um livro, com sua prova e cópias) e sua reprodutibilidade intrínseca: "O número dos tipos originais é restrito, o das cópias e repetições é infinito. É através deste que o infinito se constitui. Cada tipo tem diante de si um exército de sósias, cujo número é ilimitado". O tipo fotográfico não vale mais que as cópias, e o mesmo vale para a cosmologia de Blanqui. O universo se torna um labirinto de espelhos: "Cada um de nossos sósias é filho de uma terra, ela mesma sósia da terra atual. Fazemos parte do decalque. A Terra-sósia reproduz exatamente tudo o que se encontra na nossa, e, por conseguinte, cada indivíduo, com sua família, com sua casa, quando a tem, todos os eventos de sua vida. É uma duplicata de nosso globo, invólucro e conteúdo. Não falta nada".*[1]

Evidentemente também todas as infinitas potencialidades não realizadas na Terra são efetivas em outros mundos. Aquilo que Baudelaire chamou de choque é naturalizado por Blanqui, pois se nossas vidas são fruto de incontáveis acasos, nesses outros planetas sósias esses acasos também podem ter se desdobrado de modo distinto. Se alguém se safou de um atropelamento neste mundo, o mesmo decerto se passou em outros infinitos mundos mas também noutros tantos e infinitos

[1] Vale lembrar, mesmo que sucintamente, que a crença na vida em outros planetas recua até autores da Antiguidade. No século XVII, por exemplo, o tratado de Fontenelle, *Entretiens sur la pluralité des mondes* [*Diálogos sobre a pluralidade dos mundos*] de 1686, foi um *best seller* que foi traduzido por toda a Europa e teve as suas ideias replicadas por muitos outros autores. O próprio Descartes, modelo de Fontenelle, nunca descartou essa hipótese. Mas é digno de nota que nos séculos XVII e XVIII os teóricos das vidas em outros planetas (incluindo aí grandes cientistas astrônomos de peso, como o Herschell citado por Blanqui) costumavam negar que esses seres extraterrestres fossem idênticos a nós. Para tanto, evidentemente, pesava também o medo da censura e da perseguição por parte da Igreja, que negava qualquer variação com relação à versão de nossa origem que consta do Gênesis.

essa pessoa faleceu. O desastre é dominado por essa visão vertiginosa de A eternidade conforme os astros. *A vida é pensada como sendo uma só vida de um universo infinito em constante reprodução de si, no qual as repetições ecoam. Nada perece, tudo se transforma: "Há simultaneamente, aos milhares, em cada segundo, sósias que nascem, outros que morrem, outros ainda cuja idade se extingue, de segundo em segundo, desde o nascimento até a morte. [...] Assim, cada um de nós viveu e viverá sem fim, sob a forma de milhares de* alter ego. *Tal se é em cada segundo de sua vida, tal é o estereótipo com milhares de variações, na eternidade. Compartilhamos o destino dos planetas". Nenhuma derrota tem o mesmo peso, se pensarmos que em outros mundos a vitória é certa! A revolução dos astros concretiza as revoluções malogradas na Terra, nesta Terra. Pensamento mágico? Mítico? Alegoria? Cada leitor poderá decidir por si. O fato é que existe um triunfo sobre a morte ao lado de uma superação da ideia de progresso, que é substituído pelo eterno retorno: "Não há nada de novo sob os sóis. Tudo o que se faz, está feito e se fará. [...] Malgrado seu perpétuo devir, ele é clichê em bronze, e vira incessantemente a mesma página". E com mais ênfase, ele escreve: "Mas há um defeito, e grande: não há progresso. Ai de mim! Não, o que há são reedições vulgares".*

Sentado na sua prisão no forte de Taureau, em pleno ano revolucionário de 1871, este texto foi escrito, mas logo também, esquecido. No entanto, como podemos ler nos que acompanham este volume, de Lisa Block de Behar e de Jacques Rancière, respectivamente, ele foi recuperado no século XX por leitores de peso, como o mencionado Benjamin, por Borges e Bioy Casares. O potencial literário desta obra é gigantesco. Não esqueçamos que Blanqui foi contemporâneo do autor dos romances Da Terra à Lua *(1865) e de* À volta da Lua *(1869), Júlio Verne! Rancière mesmo não se furta a leituras alegorizantes, como se verá, ao comparar Blanqui com os cometas de sua teoria (que ele chama de "cativos suplicantes"), ou ao ver na trajetória de Laplace, autor do* Sistema do céu, *criticado por Blanqui, uma alegoria da superação das revoluções transformadoras e triunfo da revolução como sistema e ordem. Também a teoria blanquista dos "choques de ressurreição" ("os astros extinguem-se porque envelhecem e se reacendem com um choque"), que guiam o eterno retorno no jogo entre a vida e a morte das estrelas e mundos, é comparado por Rancière aos conselhos que Blanqui deu aos amotinados em seu livro* Instrução para a tomada de armas. *Inúmeras passagens podem ser lidas também como autorreferências à prisão do autor. Por exemplo: "Nosso opúsculo repousa inteiramente sobre essa concepção, em que uma infinidade de globos habita uma infinidade de espaços, onde não há, em parte alguma, um canto que seja de trevas, de solidão ou de imobilidade".*

Mas acredito que, para além da alegoria, este livro é mesmo um sintoma de uma época, seu testemunho na forma de um tratado astronômico. Não por acaso ele impactou tanto Benjamin e é sobre esse impacto que tratarei aqui brevemente.

WALTER BENJAMIN E *A ETERNIDADE CONFORME OS ASTROS*

Entre 1927 e 1940, ano de sua morte, Benjamin se dedicou a escrever um trabalho sobre o século XIX que teria em seu centro a cidade de Paris e, dentro dela, as construções em ferro das passagens comerciais. Esse projeto ficou conhecido como trabalho das passagens ou, simplesmente, Passagens. *Tendo em vista a dimensão do material acumulado e o número de notas de teor filosófico, Benjamin acabou nunca finalizando essa obra. Por outro lado, a partir de um convite da parte de Max Horkheimer para Benjamin escrever um ensaio sobre Baudelaire, que seria publicado na revista do Instituto de Pesquisas Sociais, que Horkheimer dirigia, surgiu um segundo projeto, derivado das* Passagens, *o livro* Baudelaire. *Esse livro seria uma espécie de versão menor das* Passagens. *Pois foi em meio a essa escrita do ensaio sobre Baudelaire que Benjamin descobriu A eternidade conforme os astros, de Blanqui. Para ele, esse livro foi uma revelação fundamental. Ele percebeu nele, o cerne de muitas das questões que queria desenvolver em seu duplo projeto. Seu texto, que apresentava o que seria uma espécie de suma das* Passagens, *o "Exposé", foi refeito após essa leitura, e Benjamin introduziu uma introdução e uma conclusão, ambas com várias alusões ao livro de Blanqui. Vale a pena primeiro ler a carta a Horkheimer (de 6 jan. 1938), na qual Benjamin narra seu encontro com o livro de Blanqui:*

> *Nessas últimas semanas uma descoberta rara caiu em minhas mãos, que irá influenciar de modo decisivo o trabalho [*Baudelaire*]: eu me deparei com o escrito que Blanqui escreveu na qualidade de seu último, em sua última prisão, o Fort du Taureau. Trata-se de uma especulação cosmológica. Ele se chama* A eternidade conforme os astros *e até hoje não recebeu, até onde posso ver, nenhuma atenção. [...] Deve-se conceder que o escrito, numa primeira folheada, inicia de modo insípido e banal. No entanto, as reflexões estranhas de um autodidata, que constituem a parte principal, são apenas um preparativo para uma especulação sobre o Universo, que menos se espera deste grande revolucionário do que de qualquer outra pessoa. Se o inferno é um objeto teológico, pode-se chamar essa especulação de teológica. A visão de mundo, que Blanqui desenvolve nela, ao tomar os dados da física mecânica, é de fato infernal — é ao mesmo tempo, na figura de uma visão natural, um complemento da ordem social, que Blanqui, no ocaso de sua vida, reconhece como quem venceu. O chocante, nesse esboço, é que falta toda ironia. Ele apresenta uma submissão sem reserva e ao mesmo tempo, no entanto, a acusação mais terrível contra a sociedade que lança ao céu essa imagem do cosmos como a projeção de si mesma. A peça, graças a seu tema, o eterno retorno [*der ewigen Wiederkunft*], possui a relação mais notável com Nietzsche; possui também uma secreta e mais profunda com Baudelaire, chegando a soar como ele, de modo quase literal, em algumas passagens magistrais. Vou procurar trazer à luz esta última relação (Benjamin, 1978, pp. 741-2).*

Benjamin, portanto, não apenas se surpreende ao ler este texto redigido pelas mãos de um grande revolucionário, como também o articula a algo da ordem do infernal. Evidentemente esse elemento infernal manifesta-se, entre outras coisas, na própria ideia de sem-

pre-igual e de eterno retorno. Essa questão era fundamental para os projetos de Benjamin de então, uma vez que ele procurava articular a teoria do caráter fetiche da mercadoria com a noção de eterno retorno/sempre-igual. Isso fica claro na carta seguinte que ele envia a Horkheimer, em 3 de agosto do mesmo ano:

> *Esse escrito [*A eternidade conforme os astros*] mostrou-me que o ponto de convergência das* Passagens *também deve determinar a construção do* Baudelaire. *As categorias fundamentais das* Passagens, *que concorrem na determinação do caráter fetiche da mercadoria, entram com certeza em jogo no* Baudelaire. *O desdobramento delas vai além dos limites do ensaio, seja qual formato se imponha. Ele prossegue no quadro da antinomia entre o novo e o sempre-igual [*Immergleich*] — de uma antinomia que aparenta, ao lado do caráter fetiche da mercadoria, desvanecer as autênticas categorias da história (Benjamin, 1983, p. 1166).*

*Em 13 de março de 1939 ele volta a escrever a Horkheimer, para explicar as mudanças no "*Exposé*", nas palavras do editor das obras de Benjamin "os desenvolvimentos mais lúcidos de Benjamin quanto ao que ele entendia teoricamente nas* Passagens*" (Benjamin 1983, p. 1255), como decorrência de seu encontro com esta obra de Blanqui:*

> *O [capítulo] "Baudelaire" foi modificado de modo fundamental; o "Fourier", o "Louis-Philippe", largamente. No todo, o projeto se diferencia daquele que o senhor conhece na medida em que a confrontação entre aparência [*Schein*] e efetividade recebeu prioridade em toda parte. A sequência gradual das fantasmagorias, que são indicadas em cada capítulo, levam até a grande fantasmagoria do Universo em Blanqui, que a última parte trata (Benjamin, 1983, p. 1171).*

*Nos fragmentos "*Parque Central*", escritos também no contexto do trabalho sobre Baudelaire, de 1939/1940, novamente reencontramos importantes passagens sobre Blanqui e sua "especulação cosmológica". A primeira delas podemos ler como um desdobramento da ideia que vimos acima, que Benjamin encontrara em Marx, sobre as "ideias fixas" dos conspiradores do tipo de Blanqui. Benjamin expande essa leitura para uma profunda teoria psicossocial, que mostra não apenas* *as bases econômicas para a teoria do* eterno retorno, *mas também estabelece a ponte entre Blanqui, Nietzsche e Baudelaire, os três cavaleiros do* eterno retorno:

> *A neurose produz o artigo de massa na economia psíquica. Ele tem aí a forma da obsessão. Esta aparece na organização do neurótico em incontáveis espécimes sempre como a mesma. Inversamente, a ideia do eterno retorno tem no próprio Blanqui a forma de uma obsessão.*
>
> *A ideia do eterno retorno transforma o próprio evento histórico em artigo de massa. Mas essa concepção mostra também em outro sentido — no reverso, por assim dizer — o rastro das circunstâncias econômicas às quais deve sua súbita atualidade. Esta se anunciou no momento em que as condições de vida se tornaram acentuadamente instáveis devido à acelerada sucessão de crises.* A ideia do eterno retorno derivava seu esplendor de já não se poder contar, em todas as circunstâncias, com o retorno da estabilidade em prazos mais curtos que os oferecidos pela eternidade. *O retorno das constelações cotidianas se tornou gradativamente mais raro e com isso o surdo pressentimento de que nos deveríamos contentar com as constelações cósmicas pôde despertar. Em suma, o hábito se preparava para renunciar a alguns dos seus direitos. Diz Nietzsche: “Amo os hábitos de curta duração”, e já Baudelaire foi incapaz de desenvolver hábitos estáveis durante a vida inteira (Benjamin, 1989, pp. 156-7; eu grifo).*

Em outro fragmento de “Parque Central”, *que reflete sobre a capacidade destruidora da “intenção alegórica”, que vai contra as fantasmagorias e ilusões, Benjamin articula essa alegoria com o ataque da “aura”, que ele via como parte de uma apreciação burguesa, em sua insistência no século XIX. A aura é definida por Benjamin em seu ensaio sobre* A obra de arte na era da sua reprodutibilidade técnica *nestes termos: “A definição da aura como ‘aparição única de uma distância, por mais perto que esteja’ não significa nada além da formulação do valor de culto da obra de arte em categorias da percepção espaço-temporal. Distância é o oposto de proximidade.* O essencialmente *distante é o inaproximável. O inaproximável é de fato uma qualidade central da figura de culto” (Benjamin, 2013, p. 99). Se Baudelaire baniu a distância em sua obra, Blanqui, em sua cosmologia, a reinstaurou — mas como agente do eterno retorno:*

> *A renúncia ao encantamento do distante é um elemento decisivo na lírica de Baudelaire. [...] O arrancar as coisas de seu contexto habitual — normal com as mercadorias no estádio de sua exibição — é um procedimento bastante característico em Baudelaire. Pertence à destruição dos contextos orgânicos na intenção alegórica. [...] A desilusão e o declínio da aura são fenômenos idênticos. Baudelaire coloca o artifício da alegoria a serviço de ambos. [...] As estrelas que Baudelaire bane do seu mundo são justamente aquelas que, em Blanqui, se tornam o cenário do eterno retorno (Benjamin, 1989, p. 163).*[2]

E, finalmente, no "Exposé" *e em muitos fragmentos das* Passagens *podemos ler diversas análises muito ricas de Benjamin dedicadas muito mais ao Blanqui cosmologista do que ao revolucionário. Benjamin apresenta seu estudo de um ponto de vista muito próximo ao da psicanálise: ele quer ler as imagens e "sonhos" do século XIX para que seu século possa* despertar *daquelas fantasmagorias: "Nossa pesquisa procura mostrar como, na sequência [da] representação coisificada da civilização, as formas de vida nova e as novas criações de base econômica e técnica, que devemos ao século XIX, entram no universo de uma fantasmagoria" (Benjamin, 2006, p. 53). E Blanqui é visto como aquele que vai de encontro à fantasmagoria da própria civilização. Ele teria revelado em* A eternidade conforme os astros *"os traços terríveis dessa fantasmagoria. Neste texto, a humanidade figura como condenada. Tudo o que ela poderá esperar de novo revelar-se-á como uma realidade desde sempre presente; e esse novo será tão pouco capaz de lhe proporcionar uma solução libertadora quanto uma nova*

[2] Em um fragmento das *Passagens*, Benjamin elabora essa mesma ordem de ideias, mas de um modo distinto: "Em Blanqui, o espaço cósmico tornou-se abismo. O abismo de Baudelaire não possui estrelas. Não deve ser definido como espaço cósmico. Nem tampouco o abismo exótico da teologia. É um abismo secularizado: o do saber e dos significados. O que constitui o seu índice histórico? Em Blanqui, o abismo tem o índice histórico da física mecânica. Será que em Baudelaire o abismo não possui o índice social da *nouveauté*? Não seria o arbítrio da alegoria um irmão gêmeo da moda?" (Benjamin, 2006, p. 316. Tradução modificada por mim).

*moda é capaz de renovar a sociedade". E Benjamin arremata essa visão catastrófica da história, que ele vê nesta obra: "A especulação cósmica de Blanqui comporta o ensinamento segundo o qual a humanidade será tomada por uma angústia mítica enquanto a fantasmagoria aí ocupar um lugar" (Benjamin, 2006, p. 54). Essa, claro, é a leitura de Benjamin desta obra, aliás, uma de suas interpretações, que conciliam na interpretação deste texto a constatação da derrocada do revolucionário Blanqui (a obra "desmente de forma cruel o ímpeto revolucionário do autor"; Benjamin, 2006, p. 66) com a leitura dela como uma espécie de alegoria crítica de sua sociedade em forma de especulação cosmológica. Como ele formula ainda no "*Exposé*", este livro seria "uma última fantasmagoria, de caráter cósmico, que implicitamente compreende a crítica mais acerbada a todas as outras" (Benjamin, 2006, p. 66). Se ele destaca a ausência de uma ironia explícita no texto, ele detecta uma "oculta", da qual seu autor não teria se apercebido. A obra expressaria "uma resignação sem esperança" como "última palavra do grande revolucionário". Ela expressa o fracasso da sociedade em responder às potencialidades da técnica. A única resposta autêntica teria sido a construção de uma nova ordem social. Benjamin lê a Modernidade, descrita em Baudelaire e alegorizada em Blanqui, como a história desse fracasso. As fantasmagorias são tentativas de realizar essa conciliação entre o novo e o antigo sem que ocorra mudanças na esfera material. São "mediações enganosas", assim como o fascismo o foi.*[3] *A cosmologia de Blanqui traduz para o universo as fantasmagorias da Modernidade.*

[3] Benjamin escreve sobre o manifesto de Marinetti a favor da guerra da Etiópia palavras que esclarecem o que digo aqui: "Para ele, a estética da guerra dos dias de hoje apresenta-se do seguinte modo: se o uso natural das forças produtivas é bloqueado pela distribuição da propriedade, a elevação dos meios técnicos, em termos de ritmo, de fontes de energia, pressiona em direção a uma utilização antinatural dessas forças. Esta é encontrada na guerra, que dá, com suas destruições, a prova de que a sociedade não estava madura o suficiente para transformar a técnica em seu órgão, de que a técnica não estava desenvolvida o suficiente para subjugar as forças elementares da sociedade. A guerra imperialista é determinada, em seus traços mais terríveis, pela discrepância entre os poderosos meios de produção e sua utilização insuficiente no processo de produção" (Benjamin, 2013, pp. 93-4). Nas *Passagens*, de resto, Benjamin, com uma pequena frase, permite fazer a ponte entre esse raciocínio extraído de seu ensaio sobre

Em "Parque Central", Benjamin também desenvolve esse tema da relação entre o novo e o antigo introduzindo os conceitos de eterno retorno e sempre-igual, outra fantasmagoria que "resolve" sem mudar. Ele anota: "Deve ser mostrado energicamente como a ideia do eterno retorno penetra mais ou menos ao mesmo tempo o mundo de Baudelaire, o de Blanqui e o de Nietzsche. Em Baudelaire, o acento recai sobre o novo, que, com esforço heroico, é extraído do 'sempre--igual'; em Nietzsche, sobre o 'sempre-igual' que o homem afronta com calma heroica. Blanqui está muito mais próximo de Nietzsche que de Baudelaire, mas nele predomina a resignação. Em Nietzsche, essa experiência se projeta cosmologicamente na tese: já não acontece nada de novo" (Benjamin, 1989, p. 165). Mas ele observa também que se em Baudelaire o "novo" não tem nada a ver com o progresso, pelo contrário, ele teria perseguido com ódio a crença no progresso, por outro lado, Blanqui "não mostra nenhum ódio contra a crença no progresso, mas a cobre, em silêncio, com o seu desprezo" (Benjamin, 1989, p. 177). O Blanqui revolucionário, que Benjamin retoma aqui, teria lutado não segundo uma crença no progresso "mas, antes de tudo, [com] a determinação de liquidar com a injustiça presente. Tal determinação de, na última hora, salvar a humanidade da catástrofe sempre iminente foi precisamente, para Blanqui, o decisivo, mais que para qualquer outro político revolucionário dessa época" (Benjamin, 1989, p. 178).

Não podemos esquecer que Benjamin reservou uma mesma pasta, entre suas notas para as Passagens, para os dois conceitos: "O tédio, eterno retorno". Um fragmento das Passagens, com uma citação de S. Kierkegaard ("Ou isso, ou aquilo") deixa clara essa relação. Benjamin identifica uma reflexão do filósofo dinamarquês com a cosmologia de Blanqui: "A viagem de Blanqui: 'Quando nos entediamos no campo, viajamos para a capital; quando nos entediamos em nosso país, viajamos para o exterior; cansados da Europa, viajamos para a América, e assim

A obra de arte na era de sua reprodutibilidade técnica e Blanqui: "Com amarga ironia, Blanqui demonstra o que seria uma 'humanidade melhor' em uma natureza que não pode ser melhorada" (Benjamin, 2006, p. 408).

por diante. Abandonamo-nos à extravagante esperança de uma viagem sem fim, de estrela em estrela'" (Benjamin, 2006, p. 386).

SPES OU A ESPERANÇA QUE NUNCA MORRE

Como nós, hoje, embarcamos nessa viagem cósmica de Blanqui? Se a leitura de Benjamin mantém a sua validade, a ironia "oculta" ainda vale para nossa época na qual, sem dúvida, a técnica continua a se realizar muito mais em termos de controle e violência do que de libertação. O pesadelo infernal que vê no cosmo uma sequência infinita de imagens repetidas, sempre-iguais, também vale para nossa sociedade em que a moda ainda é a configuração mais palpável da novidade — e nunca o verdadeiro inteiramente outro. Mas também podemos, com a literatura, ler em Blanqui e em sua viagem o precursor de outras viagens literárias. A ideia do "duplo", essa figura-chave tanto da literatura moderna como da psicanálise, permite, por exemplo, explorar este texto de um modo diverso do benjaminiano. Hoje, por outro lado, os clones se tornaram realidade e não precisamos de uma fantasia cósmica para concretizá-los. Também eles prometem a "eternidade", mas só que "conforme a biologia". A biopolítica deu largos passos desde Blanqui e de Benjamin. Se a violência e sua repetição poderiam ser vistas ainda pelo revolucionário ou pelo cosmólogo Blanqui como uma aparição que poderia ser reduzida ao eterno retorno ou do sempre-igual, no século XX, com as duas grandes guerras e a figura biopolítica dos genocídios, o sempre-igual deu lugar ao único, ao não simbolizável. É verdade, como Adorno já pôde observar, que essa prática se repetiu naquele século e continua a se repetir, vemos hoje, em nossa era. Também é verdade que tanto Freud como Benjamin destacaram a figura da repetição no centro da memória do traumatizado (de guerra, mas não apenas). Mas nossas fantasmagorias mudaram. Clones e viagens intergalácticas ainda pululam nas nossas telas de cinema/de sonho, mas também catástrofes avassaladoras nos consomem. Sobretudo desde Hiroshima, somos ameaçados a cada dia pelos mais variados monstros, por toda modalidade de vírus, pela natureza em revolta, por zumbis, muitos zumbis... O sentido da "vida" foi posto em xeque pelas novas tecnologias, e a indiferenciação entre a vida e a morte se tornou algo familiar a nossa experiência.

Mas, mesmo assim, a fantasmagoria cósmica de Blanqui ainda exerce um enorme fascínio sobre nós. Ele tocou em alguns pontos sensíveis aos habitantes da Modernidade que, de certa forma, em que pese tudo, nós ainda o somos. O paradoxo desta A eternidade conforme os astros é justamente que ela afirma ao mesmo tempo a nossa eternidade e a nossa efemeridade. Blanqui acredita que a humanidade foi, está sendo e será extinta sempre sem deixar um traço, na mesma medida em que para ele essa humanidade se eterniza pela repetição em diferentes planetas. Talvez seja esse paradoxo que ainda encontra correspondentes em nossas mentes e em nossas fantasmagorias. Somos, para o bem e para o mal, mortos-vivos perambulando pelas galáxias, condenados eternamente à extinção — e à ressurreição (fantasmática?).

Os deuses gregos eram eternos e eternamente jovens, por comerem ambrosia. Pandora foi quem, por ordem de Zeus, espalhou as pragas entre os homens, como a morte e o envelhecer. Esse foi o castigo por Prometeu ter nos presenteado com o fogo, ou seja, a tecnologia. Aparentemente, a esperança, que apesar de imortal é chamada "a última que morre", teria ficado no jarro de Pandora. Em grande parte é de Spes, a esperança, que as utopias e as fantasmagorias emanam, tentando sempre, como afirma Benjamin, conciliar o mais antigo e o mais novo, a natureza e a "humanidade melhor". Como ele mesmo anotou em seu livro Rua de mão única, lembrando de uma obra do renascentista Pisano: "BATISTÉRIO DE FLORENÇA. Sobre o portal a 'Spes' de Andrea Pisano. Está sentada e, desvalida, ergue os braços em direção a um fruto que lhe permanece inalcançável. Contudo é alada. Nada é mais verdadeiro" (Benjamin, 2012, p. 49). Spes é pensada *também como estando ao lado da bela deusa Nêmesis, responsável por destruir toda desmesura, como o excesso de felicidade. Herder, por exemplo, escreveu: "Venero Nêmesis e Spes em um mesmo altar; 'tenha esperança', acena esta; e aquela: 'mas, no entanto, nunca por demais'." A esperança aninha as nossas fantasmagorias, que sempre mudam, a cada época, ou seja, a cada nova era tecnológica. Mas a mitologia grega, também conhecia Titono, o belo troiano, por quem Eos, a Aurora, se apaixonou e a quem Zeus concedeu a imortalidade, mas não a juventude eterna. Ele foi condenado a sempre envelhecer, mas nunca a poder morrer, como na interpretação moderna do Drácula. Nossa situação é mais "privilegiada", pois acreditamos que, com a ambrosia da tecnologia, vencemos tanto a decrepitude como a morte. Haja fantasmagoria!*

São Paulo, 12/02/2016

ACHCAR, Gilbert. "1871. A Comuna de Paris". In: M. Löwy (Org.). *Revoluções*. São Paulo: Boitempo, 2009.

BENJAMIN, W. *Briefe*. G. Scholem e T. W.Adorno (Orgs.). Frankfurt/M.: Suhrkamp, 1978.

__________. "Gesammelte Schriften", v. V (*Das Passagen-Werk*). R. Tiedemann e H. Schweppenhäuser (Orgs.). Frankfurt/M.: Suhrkamp, 1983.

__________. *Obras escolhidas*, v. III (Charles Baudelaire, um lírico no auge do capitalismo). J. C. M. Barbosa e H. A. Baptista (Trads.). São Paulo: Brasiliense, 1989.

__________. *Passagens*. Willi Bolle e Olgária Matos (Orgs.). Irene Aron e Cleonice Paes Barreto Mourão (Trads). São Paulo/Belo Horizonte: Ed. UFMG/ Imprensa Oficial do Estado de São Paulo, 2006.

__________. *Rua de mão única*, 6. ed. Rubens Rodrigues Torres Filho e José Carlos Martins Barbosa (Trads). Márcio Seligmann-Silva (Rev. técnica.). São Paulo: Brasiliense, 2012.

__________. *A obra de arte na era de sua reprodutibilidade técnica*. M. Seligmann-Silva (Org.e apres.). Gabriel Valladão Silva (Trad.). Porto Alegre: L&PM, 2013.

BLANQUI, Louis-Auguste. *L'éternité par les astres*. Lisa Block de Behar (Ed., trad. e notas). Genève: Slatknine, 2009. [Texto da segunda edição revista do livro de Blanqui.]

__________. *L'éternité par les astres*. Lisa Block de Behar (Pref.). Genebra: Slaktine, 1996. [Texto da primeira edição do livro de Blanqui.]

__________. *La eternidade por los astros*. Horacio González (Org.). Buenos Aires: Colihue, 2002. (Coleção Puñaladas. Ensayos de Punta. Texto da primeira edição do livro de Blanqui.)

FONTENELLE. *Entretiens sur la pluralité des mondes*. Org. Christophe Martin (Org.). Paris: Flammarion, 1998.

PREFÁCIO

Jacques Rancière

"Os astros mesmos, que, em minha opinião, só devem ser perturbados pelas mais consideráveis ou mais profundamente graves razões, eu os percorro, e percebo que estão em concordância comigo."[1] Essas linhas irônicas visam a um balé encenado no teatro Éden. Mas, para o coreógrafo, tais revoadas estelares pareceriam tão naturais quanto são para o poeta. O mesmo não vale, se quem perturba os astros é um líder revolucionário. Certo, uma desculpa apresenta-se de saída: a paga desta profissão são os muitos momentos de lazer forçado, que se prestam ao devaneio. E, de fato, é no forte de Taureau, na solidão de uma prisão cercada por águas que ele mesmo não pode ver, que Blanqui compõe, em 1871, A eternidade conforme os astros.

Mas a explicação pelas circunstâncias é um tanto superficial, ainda que o texto nos fale de polícia e calabouço, de isolamento e solidão. Pois esses 37 anos de prisão nunca levaram Blanqui a preferir a calma da contemplação aos riscos e tumultos da ação. No forte de Taureau, ele não se esquece nunca do processo que o aguarda em Paris — por seu papel na manifestação de 31 de outubro de 1871, mas principalmente como expiação da Comuna de Paris, pela qual ele é na verdade "inocente", pois já se encontrava aprisionado quando a insurreição eclode. Juntamente com o manuscrito de A eternidade conforme os astros, ele entrega a sua sobrinha também o de Capital e trabalho, em que a radicalidade de sua militância comunista é afirmada. Portanto, os astros devem ser algo mais do que uma distração de prisioneiro forçado a olhar para o alto. Acrescentemos que não foi pela observação das estrelas que ele pôde conhecer as querelas acerca da natureza dos cometas, as descobertas

[1] Mallarmé, "Ballets". *Oeuvres complètes*. Paris: Gallimard, 1945, p. 303.

da espectrometria, ou as hipóteses sobre o resfriamento do Sol. Foram necessárias "razões consideráveis, de profunda gravidade", para levá-lo a fazer com que entrasse em concordância com os astros. É verdade, uma nítida analogia liga a condição do prisioneiro em sua cela à do terráqueo isolado de miríades de outros sistemas estelares, e a situação do revolucionário encarcerado à dos cometas vencidos pela "polícia" da gravitação terrestre. Como compreender de outra maneira a ternura do autor em relação a esses "cativos suplicantes, acorrentados por séculos às barras de nossa atmosfera", mesmo quando os declara cientificamente desprezíveis? Mas se o prisioneiro simpatiza com essas criaturas fantásticas que compartilham da sua sorte, o pensador busca no outro lado, o lado da "polícia" da atração, o elo essencial entre a questão astronômica e a questão política e social.

Essa divisão de lados só poderia surpreender aos que se apegam a uma ideia simplista do século XIX. Este teria sido a época da fé estúpida no progresso da ciência e nas virtudes da instrução, que substituíram as esperanças celestes pelo conhecimento e pela conquista das realidades terrestres. E os revolucionários teriam sido com certeza os primeiros a operar essa mera "secularização" da providência divina, ao traçar uma curta linha reta da ciência da natureza à ciência da história, e desta à marcha da humanidade na trilha de um amanhã radiante. Outros, é verdade, envergaram o bastão no sentido oposto. O século estúpido nunca teria deixado, segundo eles, de se comprazer nos devaneios e mistificações ocultistas e necromancistas, de Swedenborg a Madame Blavatsky. Mas é preciso um espírito um pouco mais dialético, para compreender a relação que o revolucionário estabelece entre os vãos esplendores do exército de cometas e a força inelutável da atração. A torção, de fato, remonta a mais longe. Estava lá, quando o velho nome revolução, *que significava o curso regular dos corpos celestes, veio a designar, inversamente, a reversão violenta da ordem governante das coisas terrestres. Desde então as razões não deixaram de se misturar, de enredar ou opor de diferentes maneiras as lições da ciência e as razões da ordem ou da revolução, as exigências da ação e* as interrogações sobre a marcha da história, a conquista do aqui com as promessas de um além.

Trata-se assim de saber por quem a ciência testemunha, e como o faz. Subentende-se que quanto a isso a astronomia é exemplar. Ela é a ciência que separa sensivelmente a experiência sensível de si mesma. Mas essa separação é compreendida de duas maneiras opostas. Ou é o conhecimento que despe o céu de seu véu religioso e priva a superstição do prestígio que ela punha a serviço da ordem existente, ou, inversamente, é o conhecimento da ordem imutável que desmente as vãs pretensões dos homens de alterar o curso das coisas. Por certo, a atração, que dá às revoluções dos astros as mesmas leis que à queda dos objetos em nossa Terra, reforça a ambivalência. A ordem dos céus não seria destituída de sua diferença, ao preço de reforçar a imutabilidade dos eventos sublunares? A fortuna mesma de Laplace, autor do Sistema do céu, funcionário do Antigo Regime, da Revolução, do Império e da Restauração, parece uma alegoria desse acordo entre a regularidade dos planetas e uma ordem de coisas política que se impõe a meteoros passageiros.

Legitimaria a ciência, como querem os doutos oportunistas, a perpetuação dessa ordem de coisas? Mas a contemplação da mecânica celeste pode induzir à conclusão inversa. Se a ordem humana está submetida a perturbações desastrosas, é porque ela não é a imagem da ordem dos planetas. O que há nela de arbitrário desconhece as lições que esta nos dá. As revoluções são arbitrárias porque as dominações que elas destituem também o são. A verdadeira solução da "crise" revolucionária não é o restabelecimento de uma monarquia, constitucional ou absoluta, não se encontra em nenhuma espécie de regime político, mas na organização da sociedade de acordo com as leis do sistema do céu.

Tal é, em seu princípio, o raciocínio dos chamados utopistas. Mas essa utopia pode trilhar vias bem opostas de acordo com a maneira como se compreendam as noções de atração e gravitação. Uma delas contenta-se em traduzir o termo atração para a ordem humana.

Poucos anos depois da publicação do Sistema do céu, *Charles Fourier escreve a* Teoria da unidade universal, *que denuncia o grande vício subversivo de toda ordem social. Esta nega as leis da atração. Quer se opor aos movimentos naturais que conduzem certos seres humanos em direção a outros seres e a certas ocupações, e assim leva-os a se repugnarem uns aos outros. Insiste em ir de encontro ao mecanismo das paixões, no entanto análogo ao movimento ordenado dos corpos celestes. A ordem existente das sociedades é portanto subversiva. A sociedade harmoniosa, ela sim, fará com que os destinos sejam proporcionais às atrações. Mas a ordem cósmica não é somente o modelo da organização social. Ela é também, a título próprio, o seu futuro, um futuro que se conta, em Fourier, 810 existências intramundanas e 810 existências extramundanas, que é perseguido de planeta em planeta e de universo em universo. Pois esse é um ponto essencial. Apesar do que digam as teorias apressadas da "secularização", os pensadores da transformação radical evitam transferir para o progresso histórico as promessas da salvação religiosa. Como mostraram Miguel Abensur e Valentin Pelossi, que foram os primeiros a exumar o opúsculo de Blanqui, é na verdade o contrário: o único teatro apropriado que reconhecem para o progresso é o infinito.*[2] *Somente a pluralidade das existências na infinitude do tempo e do espaço está à altura das exigências da progressão dos corpos e das almas, dos indivíduos e das coletividades. Não é apenas a harmonia composta dos corpos celestes que é proposta à imitação dos reformadores sociais. A permanência e a história celestes são oferecidas como a carreira do progresso humano. O céu não é mais o paraíso que remunera o bem e o mal. Ela não é mais, dirá Raynaud, uma estadia, mas sim um caminho, em que se persegue um progresso, travado pela breve duração das vidas e das sociedades, em que as almas individuais se aperfeiçoam a ponto de poderem fundir-se na grande alma do mundo.*[3] *O infinito do universo*

[2] "Libérer l'Enfermé". In: Auguste Blanqui, *Instruction pour une prise d'armes. L'Eternité par les astres, hypothèse astronomique et autres textes.* Miguel Abensour e Valentin Pelosse (Estabelecimento e apres.). Paris: Éditions de la Tête de Feuilles, 1973.

[3] Cf. Jean Raynaud. *Terre et ciel.* Paris: 1855, p. 275.

é a sede da humanidade coletiva. A "grande história dos céus", dirá Flammarion, tal é a "verdadeira história universal".[4]

Portanto, para que as leis da harmonia celeste se traduzam em ordem social fundada na impulsão das paixões, é preciso alargar a perspectiva celeste para além das leis conhecidas de nosso sistema planetário. Esse alargamento, proclamado por Fourier, está também no horizonte do raciocínio de Blanqui. Mas, no intervalo entre eles, foi violentamente rejeitada por um utopista de outra espécie, desses que querem fundar a ordem social não na relação mimética entre as paixões humanas e os movimentos celestes, mas na tradução do poder da lei em poder espiritual dirigente da sociedade. É o partido tomado por Auguste Comte, o utopista que funda uma religião nova e em breve inspirará a república razoável. Resume-se assim: relançar nas trevas do incognoscível o que se estende para além do sistema solar. Declarar o estado atual do sistema planetário, tal como se deixa explicar pelas leis matemáticas da mecânica celeste, e somente por elas, como termo da evolução. Isso quer dizer também: só conhecer nos astros e em seus movimentos o modelo de ordem ensinado pela geometria, excluir toda consideração acerca de sua natureza química e de sua dependência em relação a outras leis, da transformação do calor em energia mecânica.

A tomada de partido de Blanqui é clara: o positivismo é antes de tudo a religião que põe a sociedade a serviço da ordem estabelecida. Em vão os discípulos moderados, aqueles que inspirarão a República de Jules Ferry, oporão a teoria inicial do inventor da sociologia a seus devaneios teocráticos dos anos 1950 e 1960. O grande sacerdote da hierarquia que oferece seus préstimos aos déspotas, e professor de cursos de astronomia popular nos anos 1930 e 1940, são uma só e a mesma pessoa.[5] *Para opor-se à aliança entre a ciência e a ordem, em astronomia como em política, é preciso ferir a dupla interdição comteana. É preciso abrir novamente o universo infinito que a visão estreita do "sistema do universo" encerrara num cosmo similar à*

[4] Camille Flammarion. *Astronomie populaire*, Paris: C. Marpon et E. Flammarion Editeurs, 1880, p. 820.
[5] Ver os fragmentos da leitura de M. Abensour e V. Pelosse de *L'Eternité par les astres*, op. cit.

ordem hierárquica. É preciso restituir a consideração do universo aos enigmas da ordem sideral e às aventuras inacabadas de sua história. É preciso, num outro sentido, remeter essa ordem às leis da matéria, tais como se manifestam desde o início na composição química dos corpos celestes. O sistema do mundo escapará então ao "poder espiritual" dos hierárquicos adoradores da ordem. Será entregue aos grandes materialismos, o da chuva de átomos, epicurista, e o do fogo regenerador, estoico, aos quais será dado o teatro moderno do universo infinito.

Isso é possível porque os próprios doutos, nos anos de ordem que se seguiram à revolução de 1848, lançaram as bases de uma astronomia universal, ao mesmo tempo que tornaram os astros e os sistemas estrelares seres submetidos ao nascimento e à morte. De um lado, há os progressos da análise espectral, que marcam os trabalhos de Kirchhoff, de Huggins e do padre Secchi. A análise dos raios dos espectros dos astros permitiu enumerar os corpos simples de que eles são compostos. Os astros não mais se furtarão à ciência química dos elementos e à grande igualdade que ela instaura, aquém de toda ordem matemática. Tampouco escaparão — será a base do raciocínio de Blanqui — à lei do número que rege os corpos simples e as suas combinações. De outro lado, há o desenvolvimento das consequências do segundo princípio de Carnot, que remete a igualdade a si mesmo do movimento celeste às condições da transformação do calor em movimento. William Thomson enunciava já em 1852 a consequência da tendência à dissipação do calor: "Anteriormente a um intervalo de tempo finito no passado, a terra deve ter sido, e após um intervalo de tempo finito no futuro, deverá novamente ser imprópria para ser habitada pelo homem, tal como ele é atualmente constituído".[6] Dentro em breve a grande angústia, do esgotamento do calor e do resfriamento do Sol, virá sustentar a expansão do pessimismo schopenhaueriano. As revoluções celestes perdem a estabilidade das ordens naturais. E menos ainda podem garantir o futuro da humanidade, termo da

[6] William Thomson. "On a Universal Tendency in Nature to the Dissipation of Mechanical Energy". Citado por Jacques Merleau-Ponty. *La Science de l'univers à l'âge du positivisme.* Paris: Vrin, 1983, p. 235.

evolução senhora e soberana do universo. A unidade de composição e a infinitude do todo devem conjugar-se à história de um universo submetido à mortalidade.

No universo não há lei unívoca. Contudo, o comunismo, "futuro da sociedade", apoia-se nas luzes da ciência. Sobre as virtudes desta, Blanqui é tão categórico quanto os positivistas. O comunismo é a igualdade dos homens que compartilham do mesmo saber a respeito do céu. "Suponhais", diz o revolucionário, "que uma bela noite todos os soldados sejam transformados em doutos. Imagino que a entrada dos oficiais na caserna, de manhã cedinho, ofereceria um espetáculo dos mais pitorescos, e que a sua partida se operaria com um passo de ginástica. Ide mais longe, sonhai os 38 milhões de franceses metamorfoseados, como os soldados acima, num passe de mágica. Em 24 horas não restaria vestígio de governo, e ao cabo de um mês a comunidade estaria em pleno funcionamento."[7] *Mas uma igualdade como essa, que passe de mágica algum poderia instaurar, não repousa sobre nenhuma teleologia da natureza e da história. "Entre o que é e o que quer ser, há uma distância tão prodigiosa que o pensamento não chega a transpô-la."*[8] *Por estranho que possa parecer para alguns, a fé na instrução e a fé no progresso são absolutamente distintas entre si. A luz não progride no passo lento e triunfante da história teleológica. Ela caminha rápido, e pode sempre estender-se mais.*

Portanto, não se deve pensar que as descobertas da ciência tenham resfriado, nos anos 1850 e 1860, as esperanças já bem abaladas, dos revolucionários. Que não há uma via real aberta para o progresso, é a lição que os mais conscientes já extraíram de 1848. A derrota das revoluções de 1848 é isto mesmo, a derrota política *do progresso, de uma visão de mundo em que a dominação arrefeceria diante da evidência republicana da lei do progresso, como a sombra recua diante da luz. Derrota também, mais ampla, da ideia de um sentido da história ao qual a causa da justiça social e da igualdade política permanecerá*

7 Louis-Auguste Blanqui. "Le communisme avenir de la société". In: *Critique sociale*, t. 1. Paris: 1885, p. 178.

8 Ibid., p. 211.

associado. A visão unitária da história é precisamente aquela dos reacionários. Não foi ela, argumenta Blanqui, que levou, nos anos 1830, toda uma parcela do pensamento republicano e socialista a ver no catolicismo a grande força progressista do desenvolvimento da unidade *humana? Comte tem razão, à sua maneira: progresso rima com ordem. A causa da desordem — e seria a igualdade outra coisa além de uma desordem superior? — encontra-se agora ligada à descontinuidade dos tempos e à pluralidade dos espaços.*

Tudo está claro, portanto: a história por si mesma nada faz, como nada fará o desenvolvimento das Luzes, enquanto o poder da casta dominante não tiver sido subtraído a esta pela violência, e não estiverem asseguradas as condições para que ela jamais possa retomá-lo. É preciso acrescentar que o céu, contemplado pelos iguais, não poderia alimentar nenhum argumento preguiçoso. Por mais que estudem o céu, estes não encontrarão nenhuma providência ou evolução a dirigir seus passos rumo ao futuro. Saberão por certo que o céu obedece às leis da igualdade, e encontra em si mesmo os recursos para escapar à morte. Mas saberão também que esse combate da vida contra a morte é um drama que não tem começo nem fim, que obriga os que o tomam como modelo a travar um combate indefinidamente repetido, e certo apenas quanto a uma coisa: que nenhum final feliz se encontra no fim do caminho.

Não é portanto com uma garantia da ciência que o revolucionário conta, mas, ao contrário, com a divisão de suas razões. Por trás da polícia da atração, encontra-se a unidade de composição do universo. Por trás da unidade de composição, a unidade dos elementos de que as composições são feitas. "O universo é um conjunto de famílias, unidas de algum modo pela carne e pelo sangue. Mesma matéria, disposta e organizada pelo mesmo método, na mesma ordem. Fundo e governo idênticos." A ordem do universo é anárquica, no sentido forte do termo. O Sol é feito das mesmas combinações que entram na combinação dos planetas. Depende, como estes, da síntese e da análise dos elementos. E virá o tempo em que a soberania do reino das chamas será lançada no abismo sombrio e gelado do reino dos vapores aquosos. Mas a primeira conclusão que se extrai disso é mais satisfatória para o princípio científico da igualdade do que para a perspectiva de um futuro igualitário da humanidade: a Terra tombará com seu Sol na noite eterna.

A lei dos átomos que submete a "proporção geométrica" dos astros à igualdade química traz consigo um veredito de morte. Dado que a matéria não pode aumentar ou diminuir um átomo sequer, como substituir o calor dispensado pelo movimento? Por isso, é preciso que a atração tenha outro papel além da conservação da ordem eterna das coisas. A solução de Blanqui é simples, e significativa. Os astros extintos só podem reacender-se através do choque, que cria novas centelhas. E a única força capaz de criar esse choque é a atração, que os lança uns contra os outros. "É por isso que a renovação dos mundos através do choque e a volatilização das estrelas extintas se realiza a cada instante, nos campos do infinito." A atração é "a grande força de fecundação, a força irresistível que nenhuma prodigalidade é capaz de domar, pois é a propriedade comum e permanente dos corpos. É ela que põe em marcha a mecânica celeste inteira e lança os mundos em suas peregrinações sem fim. É suficientemente rica para fornecer à vivificação dos astros o movimento que o choque transforma em calor".

Apenas nesse sentido é que a natureza testemunha em prol dos revolucionários. Todos os sóis estariam condenados à morte, sem o choque ressuscitador em que a força de conservação se revela como força revolucionária, geradora inesgotável de novos sóis e sistemas solares. As forças conjugadas do capital, do clero e do Estado estenderão, no que dependa de si, o reinado das trevas e da morte sobre a sociedade, se os homens não assumirem o papel de força que reanima a luz e a vida. Coragem dos que ousam recusar a noite da repressão; inteligência dos que não se contentam em esperar "enclausurados", atrás das barricadas, pelo momento de "morrer em combate", mas põem-se no mesmo instante a inventar as armas que darão a vitória à coragem. Os conselhos oferecidos aos amotinados na Instrução para a tomada em armas, *para que atuem incessantemente, dependem da mesma racionalidade que alimenta a hipótese astronômica dos "choques de ressurreição".*

Por isso, essa tarefa não tem fim. Não que a vida das sociedades esteja constrangida pela lei da atração a girar para sempre em torno do Sol de uma dominação. Nenhuma ordem fatal de coisas obriga homens iguais a engendrar novamente, após tê-los aniquilado, os exércitos sombrios do capital, do Estado e da Religião. O que limita a potência das revoluções não é uma dialética funesta das formas de transição. É simplesmente o fato de que estas ocorrem numa terra ela mesma incluída na grande necessidade cósmica.

Essa grande necessidade não se resume à morte e à ressurreição das estrelas. É a repetição infinita da mesma cena. Essa repetição se deduz ela mesma da divisão das razões, entre a lei de composição atômica e o teatro do infinito. Aqui mais uma vez o argumento de Blanqui é simples. Sendo finito o número dos corpos, o número de combinações entre eles, por elevado que seja, também o será. Ora, há um povoar infinito na infinitude do tempo. Conclusão: todas as combinações originárias são esgotadas. A vida só poderá perpetuar-se caso retome não somente a mesma matéria bruta como também as mesmas combinações, os mesmos tipos. O universo é povoado ao infinito, por cópias desses originais. É povoado de terras-sósias exatamente similares a nós. Milhares de cópias de nós mesmos foram, são e serão extraídas, idênticas, em terras que jamais conheceremos.

É aqui, evidentemente, que a tese de Blanqui mais se presta à interrogação. A forma mesma do argumento constrange a tal. A teoria do "choque de ressurreição" encontra pelo menos uma correspondência em teorias científicas anteriores e posteriores a ela. Buffon já a formulara, Arrênio logo dará a ela uma nova formulação. Por outro lado, o argumento do número finito de combinações possíveis é mais retórico do que científico. Os que o contradizem dirão a Blanqui que o número dos estados materiais possíveis não se limita ao número de combinações possíveis de corpos simples. A força da tese reside assim inteiramente na alegoria que ela propõe da ação humana, de seu quadro e de seus fins. É em relação a isso, com efeito, que Blanqui se distingue mais radicalmente dos utopistas de seu século. Outros que perscrutaram os astros e os males da sociedade, de Charles Fourier ao advogado Pezzani de Lyon, incansável militante da pluralidade dos mundos habitados, do antigo engenheiro Jean Raynaud, discípulo de Saint-Simon, cuja obra Ciel et terre *conhece múltiplas edições nos anos 1850-60, ao astrônomo profissional Camille Flammarion, todos eles fizeram da infinitude do espaço e do tempo o quadro de uma progressão infinita. Deslocaram para o céu o progresso da Terra, para os mundos o da história humana. Mas defenderam, nesse quadro mesmo, a ligação entre o tema do infinito e a ideia de um aperfeiçoamento, de uma ascensão contínua dos seres. É essa ligação que Blanqui rompe abruptamente. A eternidade no quadro do qual o revolucionário situa a sua ação não promete nenhum aperfeiçoamento ao infinito, seja das almas individuais, seja da coletividade humana. Ela não promete mais do que a multiplicação ao infinito dos mesmos compostos materiais, produzindo uma multiplicidade de sósias que por toda parte e eternamente enfrentam as mesmas situações.*

Não se encontraria aí, à primeira vista, tudo o que o revolucionário e homem de ação em geral deveria mais detestar — a repetição infinita do mesmo? Não haveria uma radicalização do Eclesiastes, ao constatar, numa longa tradição, que os "mais gigantescos esforços" dos homens "não equivalem a um castelo de areia", na escala do universo, e têm portanto como único efeito os crimes e os males que estes se infligem a si mesmos? Mas como se explica que a comédia dessa futilidade não deixe de ser encenada, aos milhares de repetições? Ao inverso das existências sucessivas que foram sonhadas pelo século, essas representações multiplicadas não trazem nenhum progresso, nenhuma lição. Não há esperança alguma de que os milhares de Blanquis, compostos pelos mesmos elementos, extraiam da história de seus sósias, que vivem nesses mundos sem comunicação, a menor lição que seja. "Encontram-se, no minuto presente, em todos os cantos do céu, uma multidão de sósias que ruminam seus grilhões no forte de Taureau e pensam como eu em seus duplos encarcerados. Concordamos que é tarde demais para que nos deem salvo-conduto, mas é uma tolice tremenda que não o demos a nós mesmos, o que é o suficiente para todos nós." "Ajuda-te, isso te ajudará. Os que morreram desde o não começo do mundo realizaram a mesma reflexão, e daqui até o não fim do mundo milhares de outros, hoje demasiado jovens ou que ainda não nasceram, também a farão, o que prova que passaram ou passarão pelo forte de Taureau, enclausurados numa cela, em companhia de piolhos e aranhas, eles também com seus sósias, seus camaradas de cárcere."

O problema, portanto, não consiste em saber se ainda é possível agir, tendo uma certeza tão desoladora. O que é certo é precisamente a impossibilidade de sempre agir da mesma maneira. Igualmente certo é que essa "desoladora certeza" da ação sempre a ser recomeçada, com os mesmos riscos, é a única que pode nos libertar de uma servidão bem pior, atrelada à crença na necessidade histórica. O ato decisivo, assim, é voltar à servidão contra ela mesma. Estranhamente, é a mesma solução que imaginará, dez anos mais tarde, o pensador mais alheio aos comunistas e aos insurrectos de Blanqui: Friedrich Nietzsche, que também vê na pressuposição de um estado de equilíbrio a maior das ameaças, embora o interprete num sentido diferente. O equilíbrio tem para Blanqui a face da ordem capitalista e estatista, legitimada pela astronomia positivista. Quanto a Nietzsche, assimila-o ao reinado do último homem, ao qual dá os traços do ideal socialista alimentado pelo cientificismo. Mas as notas de 1881, que explicitam os fundamentos do eterno retorno, colocam o problema nos mesmos termos que Blanqui: a repetição ou a morte; o eterno recomeço do jogo solar, o grande frio que se apodera da vida. A hipótese da repetição põe-se assim, para aquele que recusa toda providência, como a única alternativa ao equilíbrio mortal. "O mundo das forças não padece de nenhuma diminuição: se não fosse assim, seria enfraquecido e arruinado, no curso do tempo infinito. O mundo das forças não padece de nenhuma imobilidade:

se não fosse assim, essa imobilidade seria alcançada e o relógio da existência seria parado. Com isso, o mundo das forças jamais chega a um equilíbrio, não conhece sequer um instante de repouso, sua força e movimento têm a mesma grandeza em todos os tempos. Qualquer que seja o estado que o homem jamais possa *alcançar, é preciso que o tenha alcançado, e não só uma vez, mas inúmeras vezes. Como este instante mesmo: ele já se produziu uma vez e inumeráveis vezes, e retornará igual, permanecendo as forças distribuídas exatamente tal como agora se encontram."*[9]

*Em Nietzsche como em Blanqui, o argumento científico conta menos do que aquilo que ele quer trazer à vista: a duplicação, no âmago da própria repetição. A repetição não gera a resignação. Ao contrário, ela se divide em dois, e essa divisão obriga a que a cada vez uma repetição seja jogada contra a outra. Pois as que estão face a face se repetirão sempre, similares a si mesmas, e recriarão sempre as mesma situações. "*Il revient éternellement l' homme dont tu es las, le petit homme.*"*[10] *Em face do eterno retorno da mediocridade (Nietzsche) ou da opressão (Blanqui) é preciso a cada retorno emparelhar dois novamente, para que possa haver choque regenerador. Pois, precisamente, só podem afrontar a mediocridade ou a opressão aqueles que sabem, vale dizer, os que põem como axioma que a mesma situação não cessará de se representar, e que a cada vez é preciso agir como se estivesse escolhendo de uma vez por todas.*

Entre Nietzsche e Blanqui é este último, no entanto, que consigna a essa escolha as condições mais radicais. Não somente multiplica a repetição a uma infinitude de mundos coexistentes, enquanto o primeiro a restringe a mundos sucessivos, como também exclui que alguma vez seria possível formar um tipo novo de homem ou um ultra-homem. Mas nem por isso exclui toda esperança. Que as situações sejam encenadas para toda a eternidade com os mesmos personagens, isso não quer dizer que as questões sejam ou serão eternamente as

[9] Nietzsche. *Le Gai savoir. Fragments posthumes.* P. Klossowski (Trad.). Paris: Gallimard, 1967, p. 386.
[10] Id. *Also sprach Zarathustra.* Insel Verlag, 1997, p. 222.

mesmas. Barrada a esperança no progresso, resta a das bifurcações. Cada conjunção similar pode ter um desenlace diferente. Não que os milhares de outros Blanquis alguma vez extraiam lições de sua própria experiência. "Tenho a esperança de que mais de um sósia, mais prudente, tenha decidido virar à esquerda ou à direita, dissociando o seu destino daquele dos extravios. Tenho a esperança, mas questiono-a. Variações como essas seriam muito contrárias às leis da fisiologia." Portanto, somente o acaso poderia "levar dois sósias a percorrer caminhos diferentes". Essa inclinação imprevisível dos átomos que compõem a pessoa de Auguste Blanqui pode ser compreendida de duas maneiras. Um outro Blanqui talvez se torne, no encadeamento aleatório das circunstâncias, um cidadão inofensivo. Mas também outro Blanqui talvez venha aproveitar a chance que se apresenta de uma insurreição. Isso não quer dizer que o melhor é descansar, à espera da atuação do acaso. Sem dúvida, somente ele poderia fazer triunfar uma insurreição. Nenhum plano da vontade jamais poderia abolir a necessidade do lançar de dados. Mas, reciprocamente, o acaso só fará triunfar as insurreições minuciosamente preparadas e executadas em detalhe por homens inteligentes e corajosos, que nada deixam ao acaso. *Nada, isto é, além do que este tem de próprio: a venturosa bifurcação.*

É preciso portanto escapar a cada golpe, negar e afirmar ao mesmo tempo o acaso. A esse preço um dos milhares de Blanquis talvez veja uma vez brilhar a luz de um mundo de homens livres. Quem sabe se um deles já não a viu, num desses planetas dos quais jamais nos chegarão notícias. Isso com certeza nada muda, na escala do infinito dos espaços e dos tempos. Pois quem consente passar a vida nas prisões instituídas pelo poder para se libertar da prisão da submissão sabe também que a terra onde tudo isso se passa não é mais do que um recanto, isolado de todas as outras terras e destinado como elas a desparecer sem deixar memória. Se sabe de tudo isso, é razoável também que espere pelo impossível, e tente realizá-lo. Tal é a incrível mensagem do Enfermo, que vale a pena ouvir, ainda uma vez, em meio à monotonia de um presente que idolatra a necessidade, de onde quer que ela venha. Que revolucionário do pensamento ou da ação jamais propôs uma separação tão radical entre as "condições objetivas" e a ação e a coragem da empreitada? Compreende-se que a posteridade tenha preferido consagrar a imagem reconfortante de um conspirador impenitente, mas que ignorou as leis da história.

A
E
TER
NI
DA
DE
CONFORME
OS
ASTROS

I. O UNIVERSO — O INFINITO

O universo é infinito no tempo e no espaço, eterno, sem fronteiras e indivisível. Todos os corpos, animados ou inanimados, sólidos, líquidos ou gasosos, estão ligados entre si pelas coisas mesmas que os separam. Tudo depende de tudo. Suprimamos os astros, restará o espaço, absolutamente vazio, sem dúvida, mas com as três dimensões — extensão, largura e profundidade —, espaço indivisível e ilimitado.

Pascal disse, com sua linguagem magnífica: "O universo é um círculo, cujo centro está em toda parte e a circunferência não está em nenhuma". Haveria imagem mais apropriada do infinito? Digamos, a partir dele, acrescentando o seguinte: "O universo é uma esfera cujo centro está em toda parte e a superfície não está em nenhuma".

Ei-lo diante de nós, oferecendo-se à observação e ao raciocínio. Astros inúmeros brilham em suas profundezas. Suponhamo-nos num desses "centros de esfera", que estão por toda parte e cuja superfície não está em nenhuma, e admitamos por um instante a existência dessa superfície, que se encontra para além do limite do mundo.

Esse limite seria sólido, líquido ou gasoso? Qualquer que seja a sua natureza, ele é sem dúvida o prolongamento do que ele limita ou quer limitar. Suponhamos que não exista nesse ponto nem sólido, nem líquido, nem gás, nem mesmo éter. Nada senão o espaço, vazio e escuro. Esse espaço não deixa de ter as três dimensões, e terá necessariamente como limite, vale dizer como continuação, uma nova porção do espaço de mesmo natureza, logo depois outra, depois uma outra ainda, e assim por diante, indefinidamente.

O infinito só se apresenta a nós sob o aspecto do indefinido. Um conduz ao outro, devido à impossibilidade manifesta de encontrar ou mesmo conceber uma limitação para o espaço. Certo, o universo infinito é incompreensível, mas o universo limitado é absurdo. Esta certeza absoluta, de que o mundo é infinito, unida à sua incompreensibilidade, constitui uma das mais irritantes provocações que atormentam o espírito humano. Existem, sem dúvida, em alguma parte, nos globos errantes, cérebros suficientemente vigorosos para compreender o enigma impenetrável para o nosso. É preciso que nossa inveja se resigne de que é assim.

O enigma é o mesmo para o infinito do tempo como para o infinito do espaço. A eternidade do mundo impressiona a inteligência ainda mais vivamente do que a sua imensidão. Se é impossível conceder fronteiras ao universo, como suportar o pensamento de sua não existência? A matéria não saiu do nada. Não voltará a ele. É eterna, imperecível. Ainda que em eterna transformação, ela não pode diminuir ou crescer um átomo que seja.

Infinito no tempo, por que o universo não o seria também na extensão? Os dois infinitos são inseparáveis. Um implica o outro, sob pena de contradição e absurdo. A ciência ainda não constatou uma lei de solidariedade entre o espaço e os globos que o sulcam. O calor, o movimento, a luz, a eletricidade, são uma necessidade para toda extensão. Homens versados no assunto pensam que nenhuma de suas partes poderia permanecer sem esses grandes focos (*foyers*) luminosos que dão vida aos mundos. Nosso opúsculo repousa inteiramente sobre essa concepção, em que uma infinidade de globos habita uma infinidade de espaços, onde não há, em parte alguma, um canto que seja de trevas, de solidão ou de imobilidade.

II. O INDEFINIDO

Só é possível obter uma ideia do infinito, por débil que ela seja, a partir do indefinido, e no entanto essa ideia tão débil reveste aparências formidáveis. Sessenta e dois números, ocupando uma extensão de cerca de cinco centímetros, dão vinte octodecilhões de porções, ou, em termos mais habituais, milhares de milhares de milhares de milhares de milhares de vezes o caminho do Sol até a Terra.

Que se imagine ainda uma linha de números, levando daqui até o sol, ou seja, longa, com não mais de quinze centímetros, mas com 37 bilhões de porções. A extensão abarcada por essa enumeração não é desconcertante? Tomai agora essa mesma extensão por unidade, num novo número como este: a linha dos números que a compõem parte da Terra e chega até a essa estrela, lá longe, demora mais de mil anos para chegar até nós, à velocidade de 75 mil porções por segundo. Que distância não seria obtida a partir desse cálculo, se a língua dispusesse de palavras e de tempo para enunciá-la!

Pode-se assim prolongar o indefinido o quanto se queira, sem com isso ultrapassar as fronteiras da inteligibilidade, e sem violar o infinito. Cada palavra é a indicação dos mais desconcertantes prolongamentos; falar-se-á em milhares e milhares de séculos a uma palavra por segundo, para exprimir o que na verdade é uma insignificância, em se tratando do infinito.

III. DISTÂNCIAS PRODIGIOSAS ENTRE NÓS E AS ESTRELAS

O universo parece desenrolar-se imenso diante de nossos olhos. Mas não nos mostra mais do que uma parte, bem pequena na verdade. O Sol é uma das estrelas da Via Láctea, essa grande congregação estrelar que ocupa metade do céu e da qual as constelações são membros separados, dispersos pelo véu da noite.

As distâncias entre esses corpos e nós são prodigiosas. Escapam a todos os cálculos dos astrônomos, que tentaram em vão encontrar a paralaxe de alguns dos mais brilhantes entre eles: Sirius, Altair, Wega (da Lira). Seus resultados foram julgados inacreditáveis e permanecem bastante problemáticos. Aproximações, ou antes um *minimum*, estimam que as estrelas mais próximas estariam à distância de 7 bilhões de porções. A mais bem observada, a 61ffi do Cisne, deu 23 bilhões de porções, ou 658.700 vezes a distância entre a Terra e o Sol.

A luz, caminhando à razão de 75 mil porções por segundo, percorreria esse espaço em dez anos e três meses. Uma viagem por trem, a dez porções por hora, sem sequer um minuto de parada ou de descanso, duraria 250 milhões de anos. Com esse mesmo trem, viajar-se-ia ao Sol em quatrocentos anos. A Terra, que percorre a cada ano 233 milhões de porções, demoraria mais de 100 mil anos para chegar à 61ffi de Cisne.

As estrelas são sóis similares ao nosso. Diz-se que Sirius é 150 mil vezes maior. É possível, mas não há como verificá-lo. Incontestável é que o volume desses focos luminosos é desigual. Mas a comparação está fora de nosso alcance, e as diferenças de grandeza e de brilho só podem ser, para nós, questões de distância ou, mais ainda, de dúvida. Pois, sem dados suficientes, toda avaliação é uma temeridade.

IV. CONSTITUIÇÃO FÍSICA DOS ASTROS

A natureza é maravilhosa na arte de adaptar os organismos aos meios sem jamais se afastar de um plano geral que preside todas as suas Obras. Com modificações simples, ela multiplica seus tipos de modo impossível. Supôs-se, equivocadamente, nos corpos celestes, condições e seres igualmente fantásticos, sem qualquer analogia com os hóspedes de nosso planeta. Que existe uma miríade de formas e mecanismos, ninguém duvida. Mas o plano e o material permanecem invariáveis. Pode-se afirmar sem hesitação que nas extremidades mais opostas do universo os centros nervosos são a base, e a eletricidade é o agente primeiro de toda existência animal. Os demais aparatos subordinam-se a este, de mil modos convenientes ao meio. O mesmo acontece em nosso grupo planetário, onde devem encontrar-se inumeráveis séries de organizações diversas. Não é preciso deixar a Terra para ver essa diversidade quase sem limites.

Desde sempre consideramos o nosso globo como o planeta-rei, vaidade essa que muitas vezes foi humilhada. Somos praticamente intrusos, no grupo que a nossa ínfima glória pretende curvar a sua arrogada supremacia. É a densidade que decide a constituição física de um astro. Ora, nossa densidade não é a do sistema solar. Não passa de uma ínfima exceção, que quase chega a nos expulsar da verdadeira família, composta pelo Sol e pelos grandes planetas. No cortejo em seu conjunto, Mercúrio, Vênus, a Terra e Marte equivalem, por seu volume, a 2 sobre 2.417, e, acrescentando-se o Sol, a 2 sobre 1.281.684. O que corresponde a zero!

Diante de tal contraste, há apenas alguns anos abriu-se o campo à fantasia acerca da estrutura dos corpos celestes. A única coisa que não parecia duvidosa é que em nada eles se assemelhariam ao nosso. Ledo engano. A análise espectral veio dissipar esse erro e demonstrar, malgrado tantas aparências em contrário, a identidade de composição do universo. As formas são inumeráveis, os elementos são os mesmos. Tocamos assim a questão capital, que domina e aniquila quase todas as outras; é preciso portanto abordá-la em detalhe, procedendo do conhecido ao desconhecido.

Em nosso globo, até segunda ordem, a natureza tem ao seu dispor como elementos unicamente 64 corpos simples, cujos nomes encontram-se a seguir. Dizemos "até segunda ordem" pois há poucos anos o número desses corpos era de 53. De tempos em tempos, a nomenclatura é enriquecida com a descoberta de um metal qualquer, que a química a duras penas isola em ligações tenazes com o oxigênio. Mas os atores sérios não passam de 25. Os demais figuram a título de comparsas. São denominados corpos simples, pois até o presente constatou-se serem eles irredutíveis a outros. Elencá-lo-emos em sequência, por ordem de importância:

> 1. Hidrogênio; 2. Oxigênio; 3. Nitrogênio; 4. Carbono; 5. Fósforo; 6. Enxofre; 7. Cálcio; 8. Silício; 9. Potássio; 10. Sódio; 11. Alumínio; 12. Cloro; 13. Iodo; 14. Ferro; 15. Magnésio; 16. Cobre; 17. Prata; 18. Chumbo; 19. Mercúrio; 20. Antimônio; 21. Bário; 22. Cromo; 23. Bromo; 24. Bismuto; 25. Zinco; 26. Arsênico; 27. Platino; 28. Etano; 29. Ouro; 30. Níquel; 31. Glucínio; 32. Flúor; 33. Manganésio; 34. Zircônio; 35. Cobalto; 36. Irídio; 37. Boro; 38. Estrôncio; 39. Molibdênio; 40. Paládio; 41. Titânio; 42. Cádmio; 43. Selênio; 44. Ósmio; 45. Rubídio; 46. Lantânio; 47. Telúrio; 48. Tungstênio; 49. Urânio; 50. Tântalo; 51. Lítio; 52. Nióbio; 53. Ródio; 54. Dídimo; 55. Índio; 56. Térbio; 57. Tálio; 58. Tório; 59. Vanádio; 60. Ítrio; 61. Césio; 62. Rutênio; 63. Érbio; 64. Cério.

Os quatro primeiros — hidrogênio, oxigênio, nitrogênio, carbono — são os grandes agentes da natureza. Não saberíamos a qual dar precedência, tão universal é a sua atuação. O hidrogênio vem à frente, pois é a luz de todos os sóis. Esses quatro gases constituem quase que por si mesmos a matéria orgânica, a flora e a fauna, apenas com o acréscimo do cálcio, do fósforo, do enxofre, do sódio, do potássio etc.

O hidrogênio e o oxigênio formam a água, com o acréscimo do cloro, do sódio, e do iodo, para os mares. O silício, o cálcio, o alumínio, o magnésio, combinados com o oxigênio, o carbono etc., compõem as grandes massas dos terrenos geológicos, as camadas sobrepostas da crosta terrestre. Os metais preciosos têm mais importância para os homens do que para a natureza.

Outrora, tais elementos eram tidos como especialidades do nosso globo. Quantas polêmicas, por exemplo, acerca do Sol, sua composição, a origem e a natureza da luz! A grande querela da emissão e das ondulações mal se encerrou. As derradeiras escaramuças da retaguarda ainda resistem. As ondulações vitoriosas teriam arquitetado, nas fundações de seu sucesso, uma teoria tão fantástica como esta: "O Sol, simples corpo opaco como o primeiro planeta jamais surgido, é recoberto por duas atmosferas, uma, semelhante à nossa, servindo como proteção para os nativos, contra a segunda, dita fotosfera, fonte inesgotável de luz e de calor".

Essa doutrina, universalmente aceita, reinou por muito tempo na ciência, a despeito de todas as analogias. O fogo central que arde sob nossos pés atesta suficientemente que a Terra foi outrora o que hoje é o Sol, e a Terra nunca esteve revestida por uma fotosfera elétrica gratificada com o dom da perenidade.

A análise espectral dissipou esses erros. Não se trata mais de eletricidade inutilizável e perpétua, mas, prosaicamente, de hidrogênio ardente, ali como alhures, com o concurso do oxigênio. São jatos prodigiosos desse gás inflamado as protuberâncias rosas que vemos transbordarem o disco da Lua durante eclipses totais do Sol. Quanto às manchas solares, ter-se-ia razão de representá-las como vastos funis, abertos nessas massas gasosas. É a chama do hidrogênio, varrida por tempestades sobre superfícies imensas, que as tornam perceptíveis, não como uma opacidade escura, porém como obscuridade relativa, o nodo do astro, seja em estado líquido, seja em estado gasoso fortemente comprimido.

Portanto, mais quimeras. Eis aí dois elementos terrestres que iluminam o universo como iluminam as ruas de Paris e de Londres. É a sua combinação que espalha a luz e o calor. É o produto dessa combinação, a água, que cria e alimenta a vida orgânica. Sem água, não há atmosfera, não há flora nem fauna. Não há nada, além do cadáver da Lua.

Oceano de chamas nas estrelas para vivificar, oceano d'água sobre os planetas para organizar, a associação do hidrogênio e do oxigênio governa a matéria, e o sódio os acompanha infalivelmente em suas duas formas opostas, o fogo e a água. No espectro solar, ele brilha na superfície; é o elemento principal do sal dos mares.

Esses mares, hoje tão agradáveis, apesar de suas ligeiras ondas, conheceram outrora tempestades, quando turbilhonavam em chamas devoradoras, sobre as lavas de nosso globo. Trata-se da mesma massa de hidrogênio e oxigênio; mas que metamorfose! A evolução realizou-se. Realizar-se-á igualmente no Sol. As manchas deste já revelam, na combustão do hidrogênio, lacunas passageiras, que o tempo não cessará de aumentar até que se tornem permanentes. Esse tempo conta-se em séculos, sem dúvida, mas a queda já começou.

O Sol é uma estrela em declínio. Virá um dia em que o produto da combinação entre o hidrogênio e o oxigênio, deixando de se recompor para reconstituir os dois elementos à parte, permanecerá o que deve ser, água. Esse dia verá o fim do reinado das chamas, e o início daquele dos vapores aquosos, cuja última palavra é o mar. Quando esses vapores recobrirem com suas massas espessas o astro apagado, recairá sobre nosso mundo planetário a noite eterna.

Antes desse termo fatal, a humanidade terá tempo para aprender muitas coisas. Ela já sabe, graças à espectrometria, que metade dos 64 corpos simples que compõem nosso planeta faz parte igualmente do Sol, das estrelas e de seus cortejos. Ela sabe que o universo inteiro recebe a luz, o calor e a vida orgânica do hidrogênio e do oxigênio associados — chamas ou água.

Nem todos os corpos simples mostram-se no espectro solar, e, reciprocamente, os espectros do Sol e das estrelas acusam a existência de elementos desconhecidos para nós. Mas essa ciência ainda é nova, e pouco experimentada. Ela não fez mais do que balbuciar a primeira palavra, e esta já é decisiva. Os elementos dos corpos celestes são por toda parte idênticos. O futuro exibirá, a cada dia, as provas dessa identidade. As variações de densidade, que à primeira vista parecem ser um obstáculo intransponível a toda similitude entre os planetas e o nosso sistema, perdem muito de seu caráter isolante quando se vê que o Sol, cuja densidade é um quarto da nossa, contém metais como o ferro (densidade 7,80), o níquel (8,67), o cobre (9,95), o zinco (7,19), o cobalto (7,81), o cádmio (8,69) e o cromo (5,90).

Que os corpos simples existam nos diversos globos em proporções desiguais, do que resultam as divergências de densidade, nada mais natural. Evidentemente, os materiais de uma nebulosa devem ser classificados nos planetas de acordo com as leis da gravidade, mas essa classificação não impede que os corpos simples coexistam em conjunto na nebulosa, para em seguida se afastarem numa certa ordem, em virtude dessas leis. É precisamente o caso do nosso sistema, e, tudo indica, do de outros grupos estrelares. Veremos mais à frente as condições que se extraem desses fatos.

V. OBSERVAÇÕES SOBRE A COSMOGONIA DE LAPLACE. OS COMETAS

Laplace foi buscar sua hipótese em Herschell, que a havia extraído de seu telescópio. Mergulhado por inteiro nas matemáticas, o ilustre geômetra ocupa-se muito do movimento dos astros e muito pouco de sua natureza. Se resvala na questão física, é de maneira negligente, com simples afirmações, apressando-se em retornar aos cálculos da gravitação, seu objetivo permanente. É visível que sua teoria está às voltas com duas dificuldades capitais: a origem e a alta temperatura das nebulosas, e a origem dos cometas. Deixemos de lado por instante as nebulosas, e vejamos os cometas. Sem conseguir instalá-los em seu sistema, o autor, para se livrar deles, envia-os num passeio, de estrela em estrela. Acompanhemo-los, a fim de nos livrarmos deles por conta própria.

Não há em nossos dias quem não sinta desprezo profundo pelos cometas, esses miseráveis joguetes de planetas superiores, que os balançam de mil jeitos, que os atiram aos fogos solares e terminam por lançá-los nas chamas. Decadência completa! Que humilde respeito, outrora, quando saudava-se neles os mensageiros da morte! E quantas vaias e assobios, quando descobriu-se que eram inofensivos! Coisa típica dos homens, vê-se bem.

De toda forma, a impertinência não vai sem uma ligeira nuance de inquietude. Os oráculos não se privam de contradições. Assim, Arago, após ter proclamado vinte vezes a absoluta nulidade dos cometas, após ter garantido que mesmo o vazio mais perfeito de uma máquina pneumática é mais denso do que a substância dos cometas, não deixa de declarar, num capítulo de suas obras, que "a transformação da Terra em satélite de cometa é um evento que não excede o círculo das possibilidades".

Laplace, esse homem douto e solene, tão sério, professa igualmente uma opinião contrária a respeito dessa questão.

Em alguma parte ele diz: "Cometas que passassem pela Terra não poderiam produzir nesta nenhum efeito sensível. É muito provável que isso tenha ocorrido mais de uma vez, sem que ninguém se desse conta". E noutra parte: "Seria fácil representar os efeitos desse choque (isto é, de um cometa) sobre a Terra: o eixo e o movimento de rotação alterados, os mares abandonando sua posição para se precipitarem rumo ao novo equador, uma grande parte dos homens e dos animais tragados por esse dilúvio universal ou destruídos pelo violento abalo imprimido ao globo, espécies inteiras aniquiladas" etc.

"Sins" e "nãos" tão categóricos são algo singular, na pluma de um matemático. A atração, esse dogma fundamental da astronomia, também às vezes é maltratada por ele. Veremos como isso acontece, dizendo uma palavra acerca da luz zodiacal.

Esse fenômeno já recebeu muitas explicações diferentes. Foi de início atribuído à atmosfera do Sol, opinião rechaçada por Laplace. De acordo com ele, "a atmosfera solar não chega a meio caminho da órbita de Mercúrio. Os clarões zodiacais provêm de moléculas que hoje circulam em torno do astro central e que seriam voláteis demais para unirem-se aos planetas na época da grande formação primitiva. Sua extremidade tênue não opõe nenhuma resistência à marcha dos corpos celestes, e nos propicia a luminosidade das estrelas".

Tal hipótese é pouco verossímil. Moléculas planetárias volatilizadas por altas temperaturas não conservam eternamente seu calor, nem por conseguinte a forma gasosa, nos desertos glaciais da extensão. E mais, apesar do que diz Laplace, essa matéria, por tênue que se possa supô-la, seria um sério obstáculo aos movimentos dos corpos celestes, e com o tempo produziria graves desordens.

A mesma objeção refuta uma ideia recente, que honra com a luz zodiacal os detritos de cometas naufragados nas tempestades do peri-élio. Esses restos formariam um vasto oceano, que englobaria e ultrapassaria as órbitas de Mercúrio, de Vênus e da Terra.

Mas é levar um pouco longe demais o desdém pelos cometas, confundir sua nulidade com a do éter, ou mesmo com a do vácuo. Não, os planetas não poderiam fazer suas rotas em meio a tais nebulosidades, e a gravitação não tardaria a se ver em apuros.

Ainda menos racional seria buscar pela origem dos clarões misteriosos da região zodiacal num anel de meteoritos circulando em torno do Sol. Por natureza, os meteoritos são um tanto refratários à claridade das estrelas.

Remontando mais alto, poder-se-ia talvez encontrar o caminho da verdade. Arago disse em algum lugar: "A matéria dos cometas provavelmente passa com certa frequência por nossa atmosfera. Esse evento é inofensivo. Quem sabe se não atravessamos neste momento, sem perceber, a cauda de um cometa". Laplace não é menos explícito. "É muito provável", diz ele, "que os cometas tenham passado pela terra mais de uma vez, sem que ninguém se desse conta."

Todos parecem concordar com isso. Mas pergunta-se a esses astrônomos: o que se deu com esses cometas? Teriam eles prosseguido sua viagem? Percorreriam os contornos da Terra, passando depois a outro planeta? Estaria a atração proscrita? Mas o quê! Esse vago eflúvio de cometas, que cansa a língua na tentativa de definir o seu nada, desafiaria a força que governa o universo?

É concebível que dois globos imensos, lançados ao mesmo tempo, cruzem-se pela tangente e continuem sua trajetória, após um duplo abalo. Mas, que inanidades errantes venham a colidir contra nossa atmosfera, e depois desprendam-se dela pacificamente para perseguir sua rota, é um contrassenso inaceitável. Por que esses vapores difusos não permanecem aderentes ao nosso planeta, em virtude da gravidade?

"Ora! Justamente porque não têm peso, diria alguém. Sua própria inconsistência os priva disso. Sem massa, não há atração." Mau raciocínio. Se eles se separam de nós para reencontrar seu contingente, é porque seu contingente os lança até nós e os priva de nós. A que título? O poder da Terra é bem superior ao deles. Os cometas, como é sabido, não ameaçam ninguém, e todos os ameaçam, pois eles são os humildes escravos da atração. Como poderiam deixar de obedecer a ela, precisamente quando nosso globo os mantém rente de si, e não os deixa mais sair? O Sol está longe demais para disputar algo tão próximo dele.

Mesmo assim fala-se, como se fosse uma coisa simples, de cometas que rodeiam e depois abandonam nosso globo. Mas ninguém fez a menor observação a respeito. A rápida marcha desses astros seria suficiente para subtraí-los à atração terrestre, prosseguiriam eles em sua rota, pela impulsão adquirida?

Semelhante afronta à gravitação é impossível. Os destacamentos de cometas, feitos prisioneiros nesses recantos siderais que são as quadras zodiacais, e atirados em direção ao equador pela rotação, vão formar esses inchaços lenticulares que se iluminam aos raios do Sol, antes da aurora, e sobretudo após o crepúsculo da noite. O calor do dia dilatou-os, e tornou sua luminosidade mais sensível do que era pela manhã, após o frio trazido pela noite.

Essas massas diáfanas, com a aparência de cometas, permeáveis às menores estrelas, ocupam uma extensão imensa, após passarem pelo equador, seu centro e ponto culminante em termos de altitude bem como de brilho, até bem para além dos trópicos, e provavelmente até os polos, onde caem, dividem-se e se espalham.

Até hoje, a luz zodiacal esteve alojada fora da Terra, e era difícil encontrar o seu lugar ou uma natureza que fosse conciliável tanto com sua persistência quanto com suas variações. Mas é na Terra mesma que se encontra a sua causa; ela envolve sua atmosfera, sem que a coluna atmosférica receba com isso um átomo a mais. Essa pobre substância não poderia dar prova mais decisiva de sua inanidade.

Os cometas, em suas visitas, renovam os contingentes de prisioneiros talvez com mais frequência do que se costuma pensar. Esses contingentes, de resto, não poderiam ultrapassar certa altura sem serem expelidos pela força centrífuga, que lança seus detritos no espaço. A atmosfera terrestre encontra-se assim embrulhada por um envelope de cometas quase que imponderável, sede e fonte da luz zodiacal. Essa explicação é consoante com o caráter diáfano dos cometas, e além do mais dá conta das leis da gravidade, que não autorizam a evasão dos destacamentos capturados pelos planetas.

Retomemos a história dessas nulidades cabeludas. Se os cometas evitam Saturno, é para tombar sob o golpe de Júpiter, que policia o sistema. Ele os fareja, em conspiração nas sombras, antes que o raio solar os torne visíveis, e rebate-os em direção a desfiladeiros insondáveis. Ali, invadidos pelo calor e dilatados até a monstruosidade, eles perdem sua forma, expandem-se, desagregam-se e se separam, deixando para trás os retardatários e alcançando, não sem dificuldade, o abrigo do frio, que domina as solidões desconhecidas.

Só escapam os que não caem nas armadilhas da zona planetária. O cometa de 1811, por exemplo, evitou os funestos desfiladeiros e deixou ao longe, nas planícies zodiacais, as grandes aranhas tecendo suas teias, para atravessar as altitudes polares sobre o eclíptico, invadir a atmosfera do Sol e deixá-la, e enfim juntar-se às imensas colunas antes dispersas pelo fogo do inimigo. Bem-sucedida a manobra, somente então exibe aos olhares estupefatos os esplendores de seu exército, e dá prosseguimento, majestosamente, à sua vitoriosa retirada, nas profundezas do espaço.

Esses triunfos são raros. Os pobres cometas vêm, aos milhares, arder no candelabro. Como borboletas, acodem ligeiros, do fundo da noite, precipitando-se ao redor da chama que os atrai, da qual só conseguem se livrar fendendo com seus destroços os campos do eclíptico. A nos fiarmos em certos cronistas dos céus, um vasto cemitério de cometas estende-se do Sol até o orbe terrestre, emitindo essas misteriosas luzes que em dias de céu límpido se veem à noite e pela manhã. Reconheçamos os mortos nesses clarões fantasmagóricos que se deixam atravessar pela viva luz das estrelas.

Não seriam eles cativos suplicantes, acorrentados por séculos às barras de nossa atmosfera, e reclamando em vão por liberdade ou hospitalidade? Do primeiro ao último de seus raios, o Sol intertropical exibe-nos esses pálidos boêmios, que tão duramente expiam sua visita às pessoas de bem.

Os cometas são verdadeiramente seres fantásticos. Após a instalação do sistema solar, milhões deles passaram pelo peri-élio. Nosso mundo particular os tem em abundância, e, no entanto, mais da metade escapam à nossa vista, mesmo ao telescópio. Quantos desses nômades escolheram viver entre nós? Três... E mesmo assim, pode-se dizer que vivem sob a tenda. Um dias desses, darão no pé e irão se reunir às inumeráveis tribos, nos espaços imaginários. Pouco importa, na verdade, que isso ocorra através de elipses, parábolas ou hipérboles.

Afinal, são criaturas inofensivas e graciosas, que muitas vezes ocupam o primeiro lugar nas belas noites estreladas. Quando capturadas pela ratoeira, a astronomia é capturada com elas, e tem ainda mais dificuldade para se libertar. São verdadeiros pesadelos científicos. Que contraste com os corpos celestes! Os dois extremos do antagonismo, as massas esmagadoras e as imponderabilidades, o excesso do gigantesco e o excesso do nada.

Todavia, a propósito desse nada, Laplace fala de condensação, de vaporização, como se se tratasse de um gás qualquer. Ele assegura que graças ao calor do peri-élio os cometas terminam por se dissipar por completo no espaço. E o que eles se tornam, após essa volatilização? O autor não o diz, e provavelmente isso não o incomoda. Desde que se trate de geometria, ele procede sumariamente, sem muitos escrúpulos. Ora, tão etérea quanto possa ser a sublimação dos astros de cabeleiras, ela permanece material. Qual será o seu destino? Sem dúvida, o de mais tarde retomar, em virtude do frio, sua forma primitiva. Que seja. Isso é da essência do cometa que reproduz o diáfano ambulante. Mas esses diáfanos, de acordo com Laplace e outros autores, são idênticos às nebulosas fixas.

Ah, mas alto lá! É preciso deter as palavras, para verificar seu conteúdo. Nebulosa é uma palavra suspeita. É um nome bem merecido, pois tem três sentidos diferentes. Designam-se assim: 1) Um clarão esbranquiçado, que os telescópios mais potentes decompõem em incontáveis pequenas estrelas muito próximas entre si; 2) Uma claridade pálida, de aspecto similar, pontuada por um ou mais pontos brilhantes, e que não se deixa reduzir a estrelas; 3) Os cometas.

É indispensável que se confronte minuciosamente essas três individualidades. Quanto à primeira, os agregados de pequenas estrelas, nenhuma dificuldade. Estamos de acordo. A contestação só diz respeito às outras duas. De acordo com Laplace, as nebulosas profusamente espalhadas pelo universo formam, num primeiro grau de condensação, cometas e nebulosas com pontos brilhantes, irredutíveis a estrelas e que se transformam em sistemas solares. Ele explica e descreve essa transformação em detalhe.

Quanto aos cometas, limita-se a representá-los como pequenas nebulosas errantes, que ele não define nem tampouco procura diferenciar das nebulosas à beira de um parto estrelar; ele insiste, ao contrário, que são intimamente semelhantes, o que não permite distingui-las umas das outras, a não ser pelo deslocamento dos cometas, que se torna visível aos raios do Sol. Numa palavra, ele encontra no telescópio de Herschel nebulosas irredutíveis a planetas e cometas e na verdade indistinguíveis destes. Tudo não passa de uma questão de órbitas e de fixidez ou irregularidade na gravitação. Quanto ao resto, a mesma origem: "as nebulosas dispersas pelo universo", compartilhando a mesma constituição.

Como um físico tão grande como esse pôde assimilar clarões tomados de empréstimo, glaciais e vazios, às imensas girândolas de vapores ardentes que um dia serão sóis? Poderia ser assim, se os cometas fossem de hidrogênio. É possível supor que então grandes massas desse gás, exteriores às nebulosas de estrelas, divagariam livres através das extensões, onde encenariam a pequena peça da gravitação. Mesmo assim seria gás frio e escuro, enquanto os berços estrelo-planetários são incandescências, se bem que em todo caso a assimilação entre essas duas espécies de nebulosas permaneceria impossível. Comparado aos cometas, porém, o hidrogênio é granito. Entre a matéria nebulosa dos sistemas estrelares e aquela dos cometas não poderia haver nada em comum. Uma é força, luz, peso e calor; a outra, nulidade, gelo, vazio e trevas.

Laplace fala de uma similitude tão perfeita entre os dois gêneros de nebulosa, que é difícil distinguir entre eles. Mas o quê! Nebulosas volatilizadas encontram-se a distâncias incomensuráveis, os cometas estão quase que ao alcance das mãos, e de uma vã semelhança entre dois corpos afastados por tais abismos conclui-se a identidade de sua composição! Mas o cometa é algo infinitamente pequeno, enquanto a nebulosa é quase um universo. Qualquer comparação entre esses dados seria uma aberração.

Repitamos ainda que se durante o estado volátil das nebulosas uma parte do hidrogênio se dividisse ao mesmo tempo entre atração e combustão, para assim escapar livremente no espaço e tornar-se cometa, esses astros entrariam novamente na constituição geral do universo e poderiam adquirir um papel considerável. Impotentes como massa no encontro com um planeta, mas abrasados ao choque do ar e ao contato com o oxigênio, eles fariam perecer com o fogo todos os corpos organizados, plantas e animais. Mas é unânime a opinião de que o hidrogênio está para a substância dos planetas como um bloco de mármore está para o hidrogênio.

Que se suponham agora fragmentos de nebulosas estrelares, errando de sistema em sistema, à maneira de cometas. Esses agregados voláteis, ao máximo de temperatura, passariam por nós não como nevoeiro sutil, leve e transitório, mas como tromba estarrecedora de luzes e de calor, que logo poria fim a nossas polêmicas a seu respeito. A incerteza eterniza-se, em se tratando de cometas. Discussões e conjecturas não decidem nada. Alguns pontos, porém, parecem esclarecidos. Assim, a unidade da substância dos cometas é indubitável. Um cometa é um corpo simples, que nunca apresentou variante em suas aparições, tão numerosas. Encontra-se constantemente essa mesma tenuidade elástica e dilatável até o vácuo, essa mesma translucidez absoluta que em nada atrapalha a passagem dos menores clarões.

Os cometas não são nem de éter, nem de gás, nem um líquido, nem nada que se assemelhe ao que constitui os corpos celestes, são uma substância indefinível, que parece não ter nenhuma das propriedades da matéria comum e não existir fora do raio solar, que por um minuto os tira do nada para logo devolvê-los a ele. Entre esse enigma sideral e os sistemas estrelares que são o universo, separação radical. São dois mundos que existem isoladamente, duas categorias de matéria totalmente distintas, sem outra ligação além de uma gravitação desordenada, quase louca. Na descrição do mundo, deve-se ignorá-las. Nada são, nada fazem, só têm um papel, o de enigma. Com suas dilatação à saída do peri-élio e suas contrações glaciais do afélio, esse astro folgazão representa o gênio das mil e uma noites, aprisionado na lâmpada por Salomão, que, dada a ocasião, liberta-se aos poucos de sua prisão, numa névoa imensa, adquirindo figura humana, para depois, vaporizando-se novamente, reentrar pelo bico e desaparecer no fundo do bocal. Um cometa é uma onça em um nevoeiro, desdobrando-se de início por 1 bilhão de medidas cúbicas, reentrando depois numa garrafa.

Decidido esse ponto, o debate permanece aberto quanto a esta questão: "As nebulosas são agregados de estrelas adultas ou dever-se-ia ver em algumas delas fetos de estrelas, sejam simples, sejam múltiplas?". Essa questão só tem dois juízes, o telescópio e a análise espectral. Exijamos deles a mais estrita imparcialidade, que se resguardem sobretudo contra a influência oculta dos grandes nomes. Pois às vezes a espectrometria se inclina a encontrar resultados conformes à teoria de Laplace.

A condescendência para com possíveis erros do ilustre matemático é tão menos útil pelo fato de a sua teoria encontrar no conhecimento do sistema solar uma força capaz de se adiantar mesmo ao telescópio e à análise espectral, o que não é pouco. É a única explicação racional e razoável da mecânica planetária, e só poderia sucumbir diante dos argumentos mais irresistíveis...

VI. ORIGEM DOS MUNDOS

Contudo, essa teoria tem uma fraqueza... a mesma de sempre, a questão da origem, à qual ela se esquiva, dessa vez com uma reticência. Infelizmente, omitir não é resolver. Laplace contornou com destreza a dificuldade, legando-a para outros. Quanto a ele, isolou-a de sua hipótese, que pôde assim trilhar o seu caminho, livre dessa dificuldade.

A gravitação só explica o universo pela metade. Os corpos celestes, em seus movimentos, obedecem a duas forças, a centrípeta ou inércia, que faz com que caiam e os atrai uns para os outros, e a centrífuga, que os empurra para a frente em linha reta. Da combinação dessas duas forças resulta a circulação mais ou menos elíptica de todos os astros. Pela supressão da força centrífuga, a Terra penderia em direção ao Sol. Pela supressão da força centrípeta, ela sairia de sua órbita pela tangente, e fugiria em linha reta.

A fonte da força centrípeta é conhecida, trata-se da atração ou gravitação. A origem da força centrífuga permanece um mistério. Laplace pôs de lado essa dificuldade. Em sua teoria, o movimento de translação, ou seja, a força centrífuga, tem origem na rotação da nebulosa. Essa hipótese é sem dúvida verdadeira, pois seria impossível dar conta de maneira mais satisfatória dos fenômenos apresentados por nosso grupo planetário. Mas caberia perguntar ao ilustre geômetra: "De onde vem a rotação da nebulosa? De onde vem o calor que volatilizou essa massa gigantesca, condensada mais tarde em Sol rodeado por planetas?".

O calor! Dir-se-ia que basta que ele baixe, e ocupe espaço; sim, de 270 graus abaixo de zero. Estaria Laplace se referindo a isso, quando diz que em virtude de um calor excessivo a atmosfera do Sol se distendeu primitivamente para além dos orbes de todos os planetas? Ele constata, a partir de Herschel, a existência, em grande número, de nebulosidades, de início confusas a ponto de mal serem visíveis, e que chegam, através de uma sequência de condensações, ao estado de estrelas. Ora, essas estrelas são globos gigantescos, em plena incandescência, como o Sol, o que acusa um calor já bastante respeitável. Qual não seria a sua temperatura, quando, inteiramente reduzidas a vapor, essas massas enormes se dilatassem a um grau de volatilização tal que não ofereceriam mais ao olho do que uma nebulosidade que mal se pode perceber?

São essas nebulosidades que Laplace representa como profusamente disseminadas no universo e dando assistência aos cometas, bem como aos sistemas estrelares. Asserção inadmissível, como demonstramos a propósito da substância dos cometas, que não pode ter nada em comum com a das estrelas nebulosas. Se essas substâncias fossem muito próximas, os cometas estariam, por toda parte e desde sempre, mesclados às matérias estrelares, para compartilhar com estas a sua existência, não fariam um grupo à parte, estranho a todos os demais astros, seja por sua inconsistência, seja por seus hábitos vagabundos, seja ainda pela unidade absoluta de substância que os caracteriza.

Laplace tem toda razão quando diz: "Transita-se assim, com os progressos da condensação, da matéria nebulosa à consideração do Sol, outrora cercado por uma vasta atmosfera, consideração à qual se retorna, como vimos, através do exame dos fenômenos do sistema solar. Um encontro tão extraordinário dá à existência desse estado anterior do Sol uma probabilidade muito próxima da certeza".

Em compensação, nada mais falso do que a assimilação de cometas, inanidades imponderáveis, às nebulosas estrelares que representam as partes massivas da natureza, levadas por volatilização ao máximo de temperatura e de luz. Seguramente, os cometas são um enigma sem solução, pois, permanecendo inexplicáveis quando todo o resto se explica, tornam-se um obstáculo quase insuperável ao conhecimento do universo. Mas não é com um absurdo que se supera um obstáculo. Mais vale tomar o partido do fogo e conceder a esses impalpáveis uma existência especial, para aquém da matéria propriamente dita, que pode muito bem atuar sobre eles mediante a gravitação sem com isso a eles se misturar ou sofrer sua influência. Ainda que fugazes, instáveis, sempre sem amanhã, deixam-se conhecer por uma substância simples, una, invariável, impassível a toda modificação, que pode se separar, reunir-se, formar massas ou dissipar-se em chamas, sem jamais mudar. Contudo, não intervêm jamais no perpétuo devir da natureza. Consolemo-nos em relação a esse logogrifo, dada a nulidade do papel que ele desempenha.

A questão das origens é muito mais séria. Laplace a barateia, ou melhor, simplesmente a ignora, e não se digna ou não ousa falar dela. Herschel, por meio de seu telescópio, constatou no espaço numerosos agregados de matéria nebulosa, em diferentes graus de difusão, agregados que, por resfriamentos progressivos, resultam em estrelas. O ilustre geômetra relata e explica muito bem as transformações. Mas, da origem dessas nebulosas, não há palavra. É natural que se pergunte: "Tais nebulosas, que um frio relativo leva ao estado de sóis e planetas, de onde elas vêm?".

De acordo com certas teorias, existiria na extensão uma matéria caótica, que graças à concorrência do calor e da atração, se aglomeraria para formar nebulosas planetárias. Mas por quê, e desde quando essa matéria caótica? De onde vem esse calor extraordinário que auxilia com a tarefa? Tantas questões, que, por não serem postas, não precisam ser respondidas.

Desnecessário dizer que a matéria caótica que constitui as estrelas modernas constituiu também as antigas, do que se segue que o universo não remonta para além das estrelas mais antigas existentes. Concede-se de bom grado durações imensas a esses astros, mas, de seus inícios, nada se diz além da aglomeração da matéria caótica; acerca do seu fim, silêncio. A troça mais comum a respeito dessas teoria diz que elas estabelecem uma fábrica de calor nos espaços imaginários para dar fornecimento à volatilização indefinida de todas as nebulosas e de todas as matérias caóticas possíveis.

Laplace, esse geômetra tão escrupuloso, é um físico pouco rigoroso. Ele vaporiza à vontade, em virtude do calor excessivo. Dada uma nebulosa que se condensa, acompanhamo-lo com admiração pintando seu quadro, do nascimento sucessivo dos planetas e satélites à progressão do resfriamento. Mas essa matéria nebulosa sem origem, disseminada por toda parte, não se sabe como nem por quê, é também um singular antídoto ao entusiasmo. Não parece adequado instalar seu leitor numa hipótese oposta, no vácuo, e ali abandoná-lo.

O calor e a luz, não se acumulam no espaço, dissipam-se nele. Têm uma fonte que se exaure. Todos os corpos celestes resfriam-se pela irradiação. As estrelas, incandescentes formidáveis em sua origem, resolvem-se num congelado escuro. Nossos mares outrora foram um oceano de chamas. Hoje não são mais do que água. Extinto o Sol, serão um bloco de gelo. As cosmogonias que alegam que o mundo é de ontem podem acreditar que os astros estão para queimar sua primeira lamparina. E depois? Esses milhões de estrelas, que iluminam nossas noites, têm uma existência limitada. Tiveram início num incêndio, terminarão no frio e nas trevas.

É suficiente que se diga: "Tudo isso durará mais do que nós? Aceitemos o que é. *Carpe diem*. Que importa o que precedeu? Que importa o que virá? Antes e depois de nós, o dilúvio!". Não, o enigma do universo é permanente, para o pensamento de cada um. O espírito humano quer decifrá-lo, não importa o preço. Laplace estava na via correta, quando escreveu estas palavras: "Vista do Sol, a Lua parece descrever uma sequência de epicicloides, cujos centros estão na circunferência da órbita terrestre. Paralelamente, a Terra descreve uma sequência de epicicloides, cujos centros estão na curva que o Sol descreve em torno do centro de gravidade do grupo de estrelas de que faz parte. Por fim, o Sol mesmo descreve uma sequência de epicicloides cujos centros estão na curva descrita pelo centro de gravidade desse grupo ao redor daquele do universo".

"Do universo!" É dizer muito. Esse pretenso centro do universo, com o imenso cortejo que gravita ao seu redor, é um ponto imperceptível na extensão. Laplace entrou mesmo assim no caminho da verdade, e quase chegou a tocar a chave do enigma. Mas esta expressão, "do universo", prova que chegou a tocá-la mas não a viu, ou pelo menos não se deu conta de que a vira. Era um supermatemático. Tinha a convicção, até a medula dos ossos, de uma harmonia e de uma solidez inalteráveis na mecânica celeste. Sólido, muito sólido — que seja. Mas é preciso distinguir entre o universo e um relógio.

Quando um relógio quebra, é consertado. Quando se desfaz, é remontado. Quando está usado, é substituído. Mas os corpos celestes, quem os repara ou os renova? Esses globos de chamas, representantes tão esplêndidos da matéria, gozariam do privilégio da perenidade? Não, a matéria só é eterna em seus elementos e em seu conjunto. Todas as suas formas, humildes ou sublimes, são transitórias e perecíveis. Os astros nascem, brilham, extinguem-se e sobrevivem por milhares de séculos, talvez com o esplendor perdido, e não entregam às leis da gravitação mais do que tumbas flutuantes. Quantos milhões desses cadáveres glaciais não se arrastam pela noite do espaço, à espera da hora da destruição, que será, de um só golpe, também a da ressurreição?

Pois os falecidos da matéria entram na vida, qualquer que seja a sua condição. Se a noite do túmulo é longa para os astros que terminaram, vem o momento em que sua chama se reacende como um raio. Na superfície dos planetas, exposta aos raios solares, a forma que morre se desagrega rapidamente, para restituir seus elementos a uma nova forma. As metamorfoses sucedem-se, sem interrupção. Mas quando um Sol se extingue, congelado, quem lhe fornecerá calor e luz? Só pode renascer como Sol. Dará a vida a cada uma das miríades de seres diversos. Só pode transmiti-la a seus filhos por casamento. Quais seriam as núpcias e a prole desses gigantes da luz?

Quando, após milhões de séculos, um desses imensos turbilhões de estrelas, que nascem, gravitam, morrem em conjunto, termina de percorrer as regiões do espaço abertas diante de si, ele se detém em suas fronteiras com outros turbilhões extintos, chegando ao encontro deles. Uma mistura furiosa debate-se por incontáveis anos num campo de batalha de milhares e milhares de porções de extensão. Essa parte do universo não é mais do que uma vasta atmosfera de chamas, sulcadas sem descanso por uma multidão de conflagrações que volatilizam num instante estrelas e planetas.

Esse pandemônio não suspende, por um momento sequer, a obediência às leis da natureza. Choques sucessivos reduzem as massas sólidas ao estado de vapores, logo reunidos pela gravitação, que os agrupa em nebulosas que giram em torno de si mesmas pela impulsão do choque e lança-os numa circulação regular ao redor de novos centros. Observadores distantes podem então, através de seus telescópios, perceber o teatro dessas grandes revoluções, sob o aspecto de um clarão pálido, marcado por pontos mais luminosos. O clarão não passa de uma mancha, mas essa mancha é uma população de globos que ressuscitam.

Cada um dos recém-nascidos viverá de início uma infância solitária, depois acalorada e tumultuosa, misturados uns aos outros. Mais tranquilo com o tempo, o jovem astro extrairá de seu seio uma numerosa família, logo resfriada pelo isolamento, que viverá exclusivamente do calor paterno. Será o único representante no mundo que não conhecerá senão a si mesmo, sem jamais se dar conta de seus filhos. Eis o nosso sistema planetário, e habitamos uma das filhas mais jovens, mais velha apenas do que Vênus e um pequeno irmão, Mercúrio, o último a deixar o ninho.

Seria exatamente assim que renascem os mundos? Eu não sei. Talvez as legiões mortas que se enfileiram para recobrar a vida sejam menos numerosas, e o campo da ressurreição, menos vasto. Mas certamente a questão é de números e extensão, não de meios. Que o encontro acontece, seja entre dois grupos estrelares, seja entre dois sistemas em que cada estrela, com seu cortejo, atua ainda apenas como papel de planeta, seja ainda entre dois centros em que não é mais que um modesto satélite, seja enfim entre dois focos, eis o que não é permitido a ninguém decidir, não com conhecimento de causa. A única afirmação legítima é a seguinte.

A matéria não poderia diminuir ou crescer um átomo que seja. As estrelas são tochas efêmeras. Portanto, uma vez extintas, elas não se reacendem, a noite e a morte, num dado momento, apoderam-se do universo. E como poderiam elas se reacender, senão graças ao movimento transformado em calor em proporções gigantescas, vale dizer um choque que as volatilize e as traga de volta a uma nova existência? Que não se venha dizer que, com a transformação em calor, o movimento seria anulado, e os globos, imobilizados. O movimento é um resultado da atração, e a atração é imperecível, como propriedade de todos os corpos. O movimento renasce subitamente, do choque mesmo, em novas direções talvez, mas sempre efeito da mesma causa, a inércia.

Diríeis que essas perturbações são um atentado às leis da gravitação? Não sabeis de nada, não mais do que eu. Nosso único recurso é consultar a analogia. Ela nos responde: "Após séculos, os meteoritos caem aos milhares em nosso globo, e, sem sombra de dúvida, sobre planetas de todos os sistemas estrelares. É um grave defeito da atração, tal como a concebeis. Na verdade, é uma forma de atração que não conheceis, ou melhor, que desprezais, pois aplica-se aos asteroides e não aos astros. Após ter gravitado por milhares de anos, de acordo com todas as regras, um belo dia eles penetraram na atmosfera, violando a regra, e uma vez transformaram o movimento em calor, por fusão ou volatilização, fazendo vibrar o ar. O que acontece aos pequenos pode e deve acontecer aos grandes. Trazei a gravitação ao tribunal do Observatório, por ter maliciosamente impedido e ilegitimamente precipitado sobre a terra meteoritos que lhe haviam sido confiados, para que permanecessem perambulando no vazio".

Sim, a gravitação abandonou-os, assim como ela bateu, bate e baterá uns contra os outros velhos planetas, velhas estrelas, velhos defuntos enfim, caminhando lugubremente num velho cemitério, para então matá-los e reacendê-los como um fogo de artifício, com chamas resplandecentes que iluminam o mundo. Se esse meio não vos convém, encontrai outro. Mas atenção. As estrelas têm apenas um tempo, e, unindo-as a planetas, a matéria resume-se a elas. Se as ressuscitardes, o universo estará acabado. De resto, perseguimos nossa demonstração em todos os modos, maior e menor, sem receio de repetições. O assunto vale a pena. Não é indiferente saber ou ignorar como o universo subsiste.

Assim, até que se prove o contrário, os astros extinguem-se porque envelhecem e se reacendem com um choque. Tal é o modo de transformação da matéria nas individuações siderais. Por qual outro procedimento poderiam elas obedecer à lei comum da mudança e libertar-se do imobilismo eterno? Laplace diz: "Existem no espaço corpos obscuros, tão consideráveis e talvez tão numerosos quanto as estrelas". Esses corpos são simplesmente estrelas extintas. Estariam condenadas à perpetuidade cadavérica? E todas as vivas, viriam reunir-se a elas pela eternidade?

A origem oferecida por Laplace para as nebulosas estrelares, além de ser vaga é inverossímil. É uma agregação de nebulosas, de nuvens cósmicas volatilizadas, agregação formada incessantemente no espaço. Mas como? O espaço é por toda parte tal como o vemos, frio e tenebroso. Os sistemas estrelares são massas enormes de matéria — de onde viriam? Do vácuo? Essa improvisação de nebulosas é inaceitável.

Quanto à matéria caótica, não deveríamos assistir ao seu retorno em pleno século XIX. Nunca houve, nem jamais haverá a sombra de um caos, em qualquer parte que seja. A organização do universo é eterna. Nunca variou um fiapo sequer. Não há caos, nem mesmo nos campos de batalha em que milhares de estrelas se atingem e se incendeiam durante séculos a fio, para criar vivos a partir dos mortos. A lei da atração preside a essas reformulações espantosas, com tanto rigor quanto às mais tranquilas evoluções da Lua.

Tais cataclismos são raros, em todos os recantos do universo, pois no estado civil do infinito os nascimentos não podem exceder os falecimentos, e seus habitantes gozam de uma belíssima longevidade. A extensão que se abre à sua rota é mais do que suficiente para sua existência, e a hora de sua morte chega muito depois de terminada a travessia. O infinito não é pobre nem em tempo nem em espaço. Distribui para seus povos uma justa e larga proporção. Ignoramos o tempo concedido, mas é possível ter uma ideia do espaço a partir da distância entre nós e as estrelas vizinhas.

O intervalo mínimo que nos separa delas é de 10 mil milhares de porções, um abismo. Não seria essa uma via magnífica, suficientemente larga para ser percorrida com toda segurança? Nosso Sol tem os seu flancos garantidos. Sua esfera de atividade deve afetar sem dúvida a das atrações mais próximas. Para a gravitação, não existem campos neutros. Quanto a isso, faltam-nos dados. Conhecemos nossa vizinhança. Seria interessante determinar quais dentre esses focos luminosos têm esferas de atração limítrofes em relação à nossa, e classificá-los ao redor dela, como quem põe uma bola dentro de outra. Nosso domínio no universo estaria assim cadastrado. Mas é impossível fazê-lo; de outro modo, já estaria feito. Infelizmente, não se medem paralaxes a bordo de Júpiter ou de Saturno.

Nosso Sol caminha, é incontestável, conforme seu movimento de rotação. Circula em concordância com milhares, talvez milhões de estrelas que nos rodeiam e são nosso exército. Viaja há séculos, e ignoramos seu itinerário passado, presente e futuro. O período histórico da humanidade data de 6 mil anos. Desde essa época recôndita, observações eram feitas no Egito. A não ser por um deslocamento das constelações zodiacais, devido à precessão dos equinócios, nenhuma alteração foi constatada no aspecto do céu. Em 6 mil anos, nosso sistema pode ter percorrido um caminho numa direção qualquer.

Seis mil anos é um período em que o nosso globo não poderia percorrer mais do que um trecho insignificante do caminho até Sirius. Nenhum indício de deslocamento, nada. A aproximação em relação à constelação de Hércules permanece uma hipótese. Estamos fixos no mesmo lugar, assim como as estrelas. E, no entanto, caminhamos com elas rumo ao mesmo fim. São nossas contemporâneas, nossas companheiras de viagem. Daí talvez sua aparente imobilidade: avançamos em conjunto. O caminho será longo, o tempo também, até o momento da velhice, da morte, e, por fim, da ressurreição. Mas esse tempo e esse caminho, diante do infinito, são um ponto minúsculo, nem sequer um milésimo de segundo. A estrela é indistinguível, na eternidade efêmera. O que são esses milhares de sóis se sucedendo uns aos outros, através dos séculos e do espaço? Uma chuva de fagulhas. Essa chuva fecunda o universo.

A renovação dos mundos pelo choque e pela volatilização das estrelas mortas realiza-se a cada minuto, nos campos do infinito. Inumeráveis e ao mesmo tempo raras são essas conflagrações gigantescas, segundo se considere o universo ou uma única de suas regiões. Que outro meio poderia haver para a manutenção da vida geral? As nebulosas-cometa são fantasmas, as nebulosas-estrela, coligadas não se sabe como, são quimeras. Não há nada nas extensões além dos astros, pequenos e grandes, crianças, adultos ou mortos, e toda a sua existência se oferece aos olhos. As nebulosas volatilizadas são crianças; as estrelas e seus planetas são adultos; os seus cadáveres tenebrosos são mortos.

O calor, a luz, o movimento, são forças da matéria, e não a matéria em si mesma. A atração, que precipita num curso incessante tantos milhares de globos, não poderia acrescentar-lhe um átomo sequer, mas é a grande força fecundante, a força incontida que nenhuma prodigalidade detém, pois é a propriedade comum e permanente dos corpos. É ela que põe em movimento toda a mecânica celeste e lança os mundos em suas peregrinações sem fim. É suficientemente rica para fornecer à vivificação dos astros o movimento que o choque transforma em calor.

Esses reencontros de cadáveres siderais que se chocam até a ressurreição podem parecer uma perturbação da ordem. — Uma perturbação! Mas o que não aconteceria se os velhos soldados mortos, com seus rosários de planetas defuntos, seguissem indefinidamente em sua procissão fúnebre, prolongada a cada noite por novos funerais? Todas essas fontes de luz e de vida que brilham no firmamento se extinguiriam uma após a outra, como os lampiões da iluminação pública. A noite eterna desceria sobre o universo.

As altas temperaturas iniciais da matéria não poderiam ter outra fonte além do movimento, força permanente da qual provêm todas as outras. Esta obra sublime, o apagamento de um Sol, cabe apenas à força-rainha. Toda outra origem é impossível. Somente a gravitação renova os mundos, como os dirige e os mantém, através do movimento. É quase uma verdade de instinto, tanto quanto de raciocínio e de experiência.

Temos a experiência a cada dia diante dos olhos, cabe-nos observar e concluir. O que é um aerólito que se inflama e volatiliza-se ao fender o ar, senão a imagem em pequena escala da criação de um Sol pelo movimento transformado em calor? Não é uma desordem que esse corpúsculo se desvie de sua trajetória para invadir a atmosfera? O que seria o seu comportamento normal? Dentre essas nuvens de asteroides, escapando em velocidade planetária da via de sua órbita, por que a perda de um só, e não de todos? Onde se encontra, em tudo isso, o bom governo?

Não há ponto em que não brilhe incessantemente a perturbação dessa pretensa harmonia, que seria marasmo e logo decomposição. As leis da inércia têm aos milhões tais corolários não atingidos, de onde jorram aqui uma estrela cadente, ali uma estrela-sol. Por que bani-los da harmonia geral? Esses acidentes desagradam, e somos nascidos deles! São os antagonistas da morte, as fontes sempre abertas da via universal. É graças ao permanente fracasso de sua boa ordem que a gravitação reconstrói e enche de habitantes os globos. A boa ordem que tanto se apregoa deixá-los-ia desaparecer no nada.

O universo é eterno, os astros são perecíveis; e, como eles formam toda a matéria, cada um deles passou por milhares de existências. A gravitação, com seus choques de ressurreição, divide-os, mistura-os, transforma-os, enrijece-os incessantemente, mesmo que um só deles não seja composto da poeira dos outros. Cada polegar do terreno em que pisamos faz parte do universo inteiro. Mas é um testemunho mudo, que não conta o que viu na Eternidade.

A análise espectral, ao revelar a presença de numerosos corpos simples nas estrelas, contou apenas uma parte da verdade. Ela contará o resto, pouco a pouco, com os progressos da experimentação. Duas observações importantes. As densidades de nossos planetas diferem. Já a do Sol é o resumo proporcional bastante preciso delas, com o que ele permanece o fiel representante da nebulosa primitiva. Mesmo fenômeno, sem dúvida, em todas as estrelas. Quando os astros são volatilizados por um reencontro sideral, as substâncias confundem-se numa massa gasosa que resulta do choque. Posteriormente, elas se posicionam, lentamente, de acordo com as leis da inércia, como resultado do trabalho de organização da nebulosa.

Em cada sistema solar, as densidades devem assim ser escalonadas numa mesma ordem, de sorte que os planetas se assemelharão não por pertencerem ao mesmo Sol, mas de acordo com suas respectivas posições em cada um dos grupos. Com efeito, terão as mesmas condições de calor, luz e densidade. Quanto às estrelas, têm todas uma constituição similar, pois reproduzem as misturas emitidas, milhares de vezes, pelo choque e pela volatilização. Os planetas, ao contrário, representam a triagem realizada pela diferença e pela disposição das densidades. A mistura dos elementos estrelo-planetares, preparada pelo infinito, é completa num sentido diferente daquele em que as drogas terão sido submetidas, ao passar de cem anos, ao pilão de três gerações de farmacêuticos.

Escuto vozes que gritam: "Com que direito se supõe nos céus essa tormenta perpétua, que devora os astros, sob pretexto de renová-los, e que inflige um tão estranho desmentido à regularidade da gravitação? Onde estão as provas desses choques, dessas conflagrações de ressurreição? Os homens sempre admiraram a majestade imponente dos movimentos celestes, e há quem queira substituir essa ordem pela desordem permanente! Quem jamais viu semelhante balbúrdia?".

"Os astrônomos são unânimes em proclamar a invariabilidade dos fenômenos da atração. Na opinião de todos eles, é uma caução absoluta de estabilidade e de segurança; e eis que surgem teorias que pretendem erigi-la em instrumento de cataclismos! A experiência dos séculos e o testemunho universal rechaçam energicamente tais alucinações."

"As mudanças até aqui observadas nas estrelas são quase todas irregularidades periódicas, outrora exclusivas da ideia de catástrofe. A estrela da constelação Cassiopeia em 1572, a de Kepler em 1604, tiveram um brilho apenas temporário, circunstância inconciliável com a hipótese de uma volatilização. O universo parece bastante tranquilo, e segue seu caminho sem causar ruído. Há 5 ou 6 mil anos que a humanidade tem o espetáculo do céu. Não pôde constatar nenhuma perturbação séria. Os cometas sempre assustaram, nunca fizeram mal. Seis mil anos é um tempo considerável! Também considerável é o campo do telescópio. Nem o tempo, nem a extensão, mostraram o que quer que fosse. Essas perturbações gigantescas não passam de sonhos."

Nada foi visto, é verdade, mas porque não se pôde ver. Frequentes na extensão, essas cenas transcorrem sem público. As observações realizadas a respeito de astros luminosos concernem unicamente às estrelas de nossa província celeste, contemporâneas e companheiras do Sol, associadas por conseguinte ao seu destino. Não se deve concluir, da calma de nossas paragens, a tranquila monotonia do universo. As conflagrações renovadoras nunca tiveram testemunhos. Se são percebidas, é na extremidade de uma luneta, que as mostra sob o aspecto de um clarão quase imperceptível. O telescópio as revela, sob esse aspecto, aos milhares. Já se a nossa província se tornasse o teatro desses dramas, populações teriam desaparecido há muito tempo.

Os incidentes de Cassiopeia em 1572, da estrela de Kepler em 1604, são fenômenos secundários. Pode-se muito bem atribuí-los a uma erupção de hidrogênio, em que a queda de um cometa, que cairia sobre a estrela como um recipiente de óleo ou de álcool num braseiro, provocaria uma explosão de chamas efêmeras. Neste último caso, os cometas seriam um gás combustível; mas quem poderia sabê-lo? E o que importa? Newton acreditava que eles alimentavam o Sol. Poderia alguém generalizar a hipótese, e considerar esses vagabundos cabeludos como o alimento regular das estrelas? Dieta ordinária, bastante insuficiente para alimentar essas chamas do mundo!

Resta ainda, porém, o problema do nascimento e da morte desses astros luminosos. Quem os inflamaria? E quando deixam de brilhar, quem os substitui? Não se pode criar um átomo que seja de matéria, e se as estrelas perpassadas não se reacendessem, o universo se extinguiria. Desafio que se supere este dilema: "Ou a ressurreição das estrelas, ou a morte universal...". É a terceira vez que o repito. Ora, o mundo sideral é vivo, bem vivo, e como cada estrela não tem, na vida geral, duração superior a de uma cintilação, todos os astros já terminaram e recomeçaram milhares de vezes. Expliquei como isso acontece. Mesmo assim julga-se extraordinária a ideia de colisões entre dois globos que percorrem o espaço com a violência de um raio. Mas a única coisa extraordinária em tudo isso é esse espanto. Pois esses globos correm na mesma pista e só evitam o choque com desvios. Nem sempre é possível desviar. Quem se procura, encontra-se.

Do que precede, tem-se o direito de concluir a unidade de composição do universo, o que não quer dizer "unidade de substância". Os 64, digamos os cem corpos simples que formam a nossa Terra, constituem igualmente todos os globos, sem distinção, exceto pelos cometas, que permanecem um mito indecifrável e indiferente, e que, de resto, não são globos. A natureza, portanto, tem pouca variedade de materiais. É verdade que sabe tirar proveito deles, e quando vemos dois corpos simples, o hidrogênio e o oxigênio, fazerem sucessivamente o fogo, o vapor, o gelo, ficamos um pouco atordoados. A química sabe muito a respeito, ainda que esteja longe de saber tudo. Malgrado toda essa potência, cem elementos constituem uma margem bastante estreita, levando-se em consideração que o canteiro é infinito. Vamos aos fatos.

Todos os corpos celestes, sem exceção, têm uma mesma origem, o abrasamento por choque recíproco. Cada estrela é um sistema solar, expelido por uma nebulosa volatilizada no reencontro. É o centro de um grupo de planetas já formados ou em via de formação. O papel da estrela é simples: foco de luz e de calor que se acende, brilha e extingue-se. Consolidados por resfriamento, os planetas detêm o privilégio da vida orgânica, que busca sua fonte no calor e na luz do foco e se extingue com este. A composição e o mecanismo de todos os demais astros são idênticos. Variam apenas o volume, a forma e a densidade. O universo inteiro está instalado, caminha e vive nesse plano. Nada mais uniforme.

VII. ANÁLISE E SÍNTESE DO UNIVERSO

Entramos agora diretamente na obscuridade da linguagem, pois aqui se abre a questão obscura. O infinito não se deixa reduzir a palavras. É permitido, portanto, retomar diversas vezes o mesmo pensamento. A necessidade é a desculpa para a repetição.

O primeiro desgosto é encontrar-se face a face com uma aritmética muito rica, muito rica em nomes de número, riqueza infelizmente bastante ridícula em suas formas. Os trilhões, os quadrilhões, os sextilhões etc. são grotescos, e de resto dizem menos à maioria dos leitores que uma palavra vulgar e habitual, e que é a expressão por excelência das grandes quantidades: Milhar. Em astronomia, contudo, essa palavra não é grande coisa, na verdade é quase zero, perante o infinito. Infelizmente, é a propósito do infinito que ela ganha autoridade sob a pluma; então, ela mente, mais do que poderíamos conceber, e mente ainda quando se trata simplesmente de indefinido. Nas páginas que se seguem, os números, única língua disponível, sempre carecem de justeza ou são desprovidos de sentido. Não é culpa deles, nem minha, é culpa do assunto. A aritmética não orna com ele.

A natureza tem em mãos cem corpos simples para forjar todas as suas obras e adequá-las a um molde uniforme: "o sistema estrelo-planetário". Nada a construir além de sistemas estrelares, e cem corpos simples para todos os materiais é muito a fazer com poucos instrumentos. Certo, com um plano tão monótono, e elementos tão pouco variados, não é fácil engendrar diferentes combinações, suficientes para habitar o infinito. O recurso às repetições torna-se indispensável.

Alega-se que a natureza não se repete jamais, e que não existem dois homens nem duas folhas idênticos. A rigor, isso é possível, para os homens de nossa Terra, cujo número total, bastante restrito, divide-se em muitas raças diferentes. Mas há folhas exatamente idênticas, aos milhares, e grãos de areia, aos milhões.

Sem dúvida, os cem corpos simples em questão podem fornecer um número espantoso de diferentes combinações estrelo-solares. Os Xs e os Ys se extrairiam com dificuldade desse cálculo. Em suma, esse número nem sequer é indefinido, é infinito. Tem um limite determinado. Uma vez que se chegue a ele, é proibido ir além. Esse limite torna-se o do universo, que, desde sempre, não é infinito. Os corpos celestes, malgrado sua inenarrável multidão, ocupam um ponto ínfimo no espaço. Admite-se tal coisa? A matéria é eterna. É impossível conceber um instante que seja em que ela não esteja constituída de globos regulares, submetidos às leis da gravitação, e esse privilégio seria atributo de alguns esboços perdidos em meio ao vazio! Um casebre, no infinito! É absurdo. Colocamos como princípio a infinitude do universo, consequência da infinitude do espaço.

Ora, a natureza não é afeita ao impossível. A uniformidade de seu método, visível por toda parte, desmente a hipótese de criações infinitas, exclusivamente originais. O número destas é limitado, de direito, pelo número bastante finito de corpos simples. Elas são, de alguma maneira, combinações-tipo, cujas repetições infindáveis preenchem a extensão. Diferentes, diferenciadas, distintas, primordiais, originais, especiais, todas essas palavras exprimem a mesma ideia, são para nós sinônimos de combinações-tipo. A determinação de seu número caberia à álgebra, se na espécie o problema não permanecesse indeterminado, ou seja, insolúvel, por falta de dados. Essa indeterminação não equivale ao infinito nem autoriza que se conclua em prol dele. Cada um dos corpos simples é sem dúvida uma quantidade infinita, pois formam por si mesmos a matéria. O que porém não é infinito é a variedade desses elementos, que não ultrapassam cem. Fossem eles mil, o que não são, o número de combinações-tipo cresceria fabulosamente, mas não poderia chegar ao infinito, permaneceria insignificante, na presença deste. Pode-se assim ter por demonstrada a sua impotência na tarefa de disseminar tipos originais pela extensão.

Resta este ponto: a unidade orgânica do universo reside no grupo estrelo-planetário, ou simplesmente estrelar, ou planetário, ou ainda solar, quatro nomes igualmente convenientes, e com a mesma significação. É formado integralmente por uma série infinita desses sistemas, provenientes todos eles de uma nebulosa volatilizada que se condensou em Sol e em planetas. Estes últimos corpos, sucessivamente resfriados, circulam ao redor do foco central, que o seu imenso volume mantém em combustão. Devem assim mover-se no limite da atração de seu Sol, e não podem ultrapassar a circunferência da nebulosa primitiva que os engendrou. Seu número é por isso bastante restrito. Depende do tamanho original da nebulosa. Entre nós, contam-se nove, Mercúrio, Vênus, a Terra, Marte, o planeta abortado, representado por seus fragmentos, Júpiter, Saturno, Urano, Netuno. Cheguemos a uma dezena, admitindo-se três desconhecidos. A distância entre eles cresce numa progressão tal que se torna difícil estender os limites de nosso grupo.

Os outros sistemas estrelares variam sem dúvida de tamanho, mas em proporções consideravelmente circunscritas pelas leis do equilíbrio. Supõe-se que Sirius seja 150 vezes maior que o nosso Sol. Mas que sabemos nós? Até aqui não mais do que paralaxes problemáticas, sem valor. E mais, como o telescópio não aumenta as estrelas, somente o olho pode avaliá-las, e só pode estimar aparências que dependem de causas diversas. Portanto, não se veem a que título seria permitido atribuir a elas grandezas variadas e mesmo grandezas quaisquer. São sóis, é tudo. Se o nosso governo admite no máximo doze astros, por que seus confrades teriam reinos maiores? "E por que não?", poder-se-ia indagar. E de fato, a pergunta merece uma resposta.

Concedamo-lo, que seja. As causas da diversidade permanecem mesmo assim bastante fracas. No que consistem elas? A principal reside nas desigualdades de volume das nebulosas, que geram desigualdades correspondentes no tamanho e no número dos planetas de sua forja. Vêm em seguida as desigualdades de choque que modificam as velocidades de rotação e translação, o achatamento dos polos, as inclinações do eixo superior sobre o eclíptico etc.

Enumeremos também as causas de similitude. Identidade de formação e de mecanismo: uma estrela, condensação de uma nebulosa e centro de diversas órbitas planetárias, escalonadas em certos intervalos, tal é o fundo comum. Além disso, a análise espectral revela a unidade de composição dos corpos celestes. Mesmos elementos íntimos, por toda parte; o universo é um conjunto de famílias unidas de algum modo por carne e sangue. Mesma matéria, classificada e organizada pelo mesmo método, na mesma ordem. Fundo e governo idênticos. É o que parece limitar singularmente as dessemelhanças e escancarar a porta aos menecmas. Contudo, repitamos, desses dados podem surgir, em número inimaginável, diferentes combinações de sistemas planetários. Tais números chegariam ao infinito? Não, pois são todos formados por esses cem corpos simples, número imperceptível.

O infinito diz respeito à geometria e não tem nada a ver com álgebra. A álgebra é às vezes um jogo; a geometria, nunca. A álgebra tateia às cegas, como a toupeira. E no fim desse caminho a tateares, não encontra mais do que uma bela fórmula, às vezes uma mistificação. A geometria nunca adentra as sombras, mantém nossos olhos fixos nas três dimensões, que não admitem sofismas. Ela nos diz: olhai esses milhares de globos, débil recanto do universo, e lembrai-vos qual a história deles. Uma conflagração os expeliu do seio da morte e os lançou no espaço, nebulosas imensas, origem de uma nova Via Láctea. A partir de um deles, saberemos o destino de todos.

O choque que ressuscita confundiu, ao volatilizá-los, todos os corpos simples da nebulosa. A condensação separou-os novamente, para então dispô-los segundo as leis da inércia, em cada planeta e no grupo em conjunto. As partes mais leves predominam nos planetas excêntricos, as partes mais densas, nos centrais. Daí a proporção dos corpos simples, e mesmo para o volume total dos globos, tendência necessária à similitude entre planetas da mesma classe em todos os sistemas estrelares; grandeza e leveza progressivas, da capital para as fronteiras; pequenez e densidade cada vez mais acentuadas, das fronteiras à capital. Pode-se entrever a conclusão. A uniformidade do modo de criação dos astros e o caráter comum de seus elementos implicam entre eles semelhanças mais do que fraternais. Tais paridades crescentes de constituição devem evidentemente resultar na frequência da identidade. Os menecmas tornam-se sósias.

Tal é nosso ponto de partida para afirmar a limitação das combinações diferenciadas da matéria, e, por conseguinte, sua insuficiência para semear de corpos celestes os campos de extensão. Essas combinações, malgrado a sua multidão, têm um termo, e assim devem repetir-se, para chegar ao infinito. A natureza tira milhares de exemplares de cada uma de suas obras. Na textura dos astros, a similitude e a repetição formam a regra, a dessemelhança e a variedade, a exceção.

Às voltas com essa quantidade, como concebê-la, senão através de números, os seus únicos intérpretes? Ora, esses intérpretes voluntariosos são aqui infiéis ou impotentes; infiéis, quando se trata das combinações-tipo da matéria cujo número é limitado; impotentes e vazios, quando se fala em repetições infinitas dessas combinações. No primeiro caso, o das combinações originais ou tipos, os números serão arbitrários, vagos, tomados ao acaso, sem valor sequer aproximativo. Mil, 100 mil, 1 milhão, 1 trilhão etc. são sempre erros, mas erros mais ou menos aproximados, simplesmente. No segundo caso, ao contrário, das repetições infinitas, todo número torna-se um *nonsense* absoluto, pois quer exprimir o que é inexprimível.

Na verdade, essa não pode ser uma questão de números reais: estes são para nós uma mera locução. Dois elementos apenas estão presentes, o finito e o infinito. Nossa tese sustenta que os cem corpos simples não poderiam se prestar à formação de combinações originais infinitas. Não estariam assim em luta, no fundo, mais do que o finito representado por números indeterminados e o infinito, representado por um número convencional.

Os corpos celestes são assim classificados em originais e cópias. Originais são o conjunto dos globos que formam, cada um deles, um tipo especial. Cópias são as repetições, exemplares ou amostras desse tipo. O número dos tipos originais é restrito, o das cópias e repetições é infinito. É através deste que o infinito se constitui. Cada tipo tem diante de si um exército de sósias, cujo número é ilimitado.

Para a primeira classe ou categoria, a dos tipos, os números diversos, tomados à vontade, não podem ter nem terão qualquer exatidão, significam simplesmente o muito. Para a segunda classe, a das cópias, repetições, exemplares, amostras (palavras sinônimas), o termo milhão será o único utilizado, e quererá dizer: infinito.

Costuma-se pensar que os astros poderiam ser em número infinito e reproduzir todos um só e o mesmo tipo. Admitamos por um instante que todos os sistemas estrelares, materiais e pessoais, sejam um decalque perfeito do nosso, planeta por planeta, sem uma partícula de diferença. Essa coleção de cópias formaria por si mesma o infinito. Haveria um só tipo para o universo inteiro. Não que seja assim, bem entendido. O número de combinações é incalculável, embora seja finito.

Apoiando-se sobre os fatos e raciocínios precedentes, nossa tese afirma que a matéria não admitiria o infinito na diversidade das combinações siderais. Oh! Se os elementos de que ela dispõe fossem infinitamente variados, se pudéssemos nos convencer de que os astros longínquos não têm nada em comum com nossa Terra, em sua composição, que por toda parte a natureza trabalha com o desconhecido, poder-se-ia lhe conceder o infinito à vontade! Há trinta anos pensava-se que devido à infinidade dos corpos celestes nosso planeta deveria existir aos milhares de exemplares. Mas essa opinião era uma questão de instinto, e apoiava-se exclusivamente no dado do infinito. A análise espectral alterou completamente a situação e abriu as portas para a realidade que ora se impõe.

A ilusão a respeito das estruturas fantásticas caiu. Não há outras matérias, em parte alguma, além da centena de corpos simples, dois terços dos quais temos diante dos olhos. É com essa magra amostragem que se deve fazer e refazer a treva do universo. O sr. Haussmann não dispôs de outros, para reconstruir Paris. Eram esses mesmos. Não é a variedade que brilha em seus edifícios. A natureza, que também demole para reconstruir, é mais feliz em sua arquitetura. De sua indigência ela tira um partido tão rico, que hesitamos antes de atribuir um termo à originalidade de suas obras.

Foquemos no problema. Supondo que todos os sistemas estrelares tenham igual duração, mil bilhões de anos, por exemplo, imaginemos também, por hipótese, que eles comecem e terminem juntos, no mesmo minuto. Sabe-se que todos esses grupos, de algum modo de mesmo sangue, carne e ossatura, desenvolvem-se também pelo mesmo método. Nos diversos sistemas, os planetas dispõem-se simetricamente, segundo a intimidade de sua semelhança, e essas similitudes levam-nos de concerto com a identidade. Cem corpos simples, materiais únicos e comuns de um conjunto estreitamente solidário, seriam capazes de fornecer uma combinação diferente e especial para cada globo, vale dizer um número infinito de originais distintos? Por certo não, pois as diversidades de toda espécie que fazem variar as combinações dependem de um número bem restrito: cem. Os astros diferenciados, os tipos, estão desde sempre reduzidos a um número limitado, e a infinidade dos globos só poderia surgir da infinidade das repetições.

Eis assim as combinações originais esgotadas, sem terem chegado ao infinito. Miríades de diferentes sistemas estrelo-planetários circulam numa província da extensão, pois não poderiam povoar mais do que uma província. Permaneceria a matéria ali, fazendo figura de um ponto no céu? Ou contentar-se-ia com mil, 10 mil, 100 mil pontos que alargariam de modo insignificante seu magro domínio? Não, sua vocação, sua lei, é o infinito. Não se deixará restringir pelo vazio. O espaço não se tornará seu cárcere.

Ela saberá como evadi-lo, para vivificá-lo. Por que, de resto, não seria o infinito um apanágio universal? Propriedade do filamento e do ácaro, tanto quanto do grande Todo?

Tal é, com efeito, a verdade que se extrai desses vastos problemas. Descartemos agora a hipótese que implode a demonstração. Os sistemas planetários simplesmente não trilham, como se pensa, um caminho contemporâneo. Longe disso: suas idades enredam-se e se entrecruzam em todos os sentidos a todo instante, desde o abrasivo nascimento da nebulosa até a morte da estrela e o choque que a ressuscita.

Deixemos de lado por um instante os sistemas estrelares originais para nos ocuparmos da Terra em especial. Em breve a ligaremos a um deles, o nosso sistema solar, do qual ela faz parte, e que regra o seu destino. Compreende-se que, em nossa tese, o homem não se intitula ao infinito, não mais do que os animais e as coisas. Em si mesmo, ele não passa de um efêmero. É graças ao globo em que vive que ele tem direito a um quinhão da infinidade do tempo e do espaço. Cada um de nossos sósias é filho de uma Terra, ela mesma sósia da Terra atual. Fazemos parte do decalque. A Terra-sósia reproduz exatamente tudo o que se encontra na nossa, e, por conseguinte, cada indivíduo, com sua família, com sua casa, quando a tem, todos os eventos de sua vida. É uma duplicata de nosso globo, invólucro e conteúdo. Não falta nada.

Os sistemas estrelares dispõem seus planetas em torno do Sol numa ordem regrada pelas leis da gravidade, que atribuem assim, em cada grupo, um lugar simétrico ao ocupado pelas criações análogas. A Terra é o terceiro planeta a partir do Sol, e esse lugar deve-se sem dúvida às condições particulares de grandeza, densidade, esfera etc. Os milhões de sistemas estrelares estão certamente muito próximos do nosso, quanto ao número e à disposição dos astros. Pois o cortejo é disposto estritamente de acordo com as leis da gravitação. Em todos os grupos de oito a doze planetas o terceiro tem fortes chances de não ser muito diferente da Terra, a começar pela distância do Sol, condição essencial que propicia a mesma luz e calor. O volume e a massa, a inclinação do eixo sobre o eclíptico podem variar. Ainda, se a nebulosa equivalesse à nossa, há toda razão para que o desenvolvimento acompanhe passo a passo a mesma marcha.

Suponhamos mesmo assim diversidades que restrinjam a aproximação a uma simples analogia. Contar-se-iam aos milhares as Terras dessa espécie, antes que se encontrasse uma semelhança perfeita. Esses globos teriam todos, assim como nós, terrenos escalonados, uma flora, uma fauna, mares, uma atmosfera, homens. Mas a duração dos períodos geológicos, a repartição das águas, dos continentes, das ilhas, das raças animais e humanas ofereceriam um sem-número de variedades. Prossigamos.

Uma Terra nasce enfim com a nossa humanidade, que desfila suas raças, suas migrações, suas lutas, seus impérios, suas catástrofes. Todas essas peripécias irão alterar o seu destino, lançá-la em vias que não são as de nosso globo. A cada minuto, a cada segundo, milhares de direções diferentes se oferecem a esse gênero humano. Ele escolhe uma, abandona outras para sempre. Quantos desvios à direita, à esquerda, não modificam os indivíduos, a história! Nosso passado não se encontra aí. Ponhamos de lado essas tentativas confusas. Elas farão caminho próprio, e serão mundos.

Mesmo assim, chegamos. Eis um exemplar completo, coisas e pessoas. Não há seixo, não há árvore, riacho, animal, não há homem ou incidente que não tenha encontrado seu lugar e sua minuta na duplicata. É uma verdadeira Terra-sósia, ao menos até aqui. Pois amanhã os eventos e os homens prosseguirão em sua marcha. Por ora, é para nós o desconhecido. O futuro de nossa Terra, como seu passado, mudará de rota milhões de vezes. O passado é um fato consumado; é o nosso passado. O futuro só se encerrará com a morte do globo. Daqui até lá, cada segundo terá sua bifurcação, o caminho que se tomará, o que se poderia ter tomado. Qualquer que seja, o que levará a completar a existência própria do planeta até seu último dia foi percorrido milhares de vezes. Será uma cópia, impressa de antemão pelos séculos.

Os eventos não criam sozinhos as variantes humanas. Que homem não se encontra por vezes em presença de dois caminhos? Aquele do qual se desvia lhe daria uma vida bem diferente, ainda que preservando a mesma individualidade. Um conduz à miséria, à vergonha, à servidão. O outro leva à glória, à liberdade. Aqui, uma mulher encantadora, e a felicidade; ali, uma fúria, e a desolação. Falo para os dois sexos. Escolhe-se ao acaso ou deliberadamente, pouco importa, não se escapa à fatalidade. Mas a fatalidade não encontra pé no infinito, que não conhece a alternativa e tem lugar para tudo. Há uma Terra em que o homem segue uma rota desdenhada no outro pela sósia. Sua existência redobra-se, um globo para cada um, depois bifurca-se por um segundo, uma terceira vez, milhares de vezes. Ela possui assim sósias completas, e inumeráveis variantes de sósias, que multiplicam e representam sempre a sua pessoa, mas tomam apenas os farrapos de seu destino. Tudo o que se poderia ser aqui, é-se em alguma parte alhures. Além de sua existência integral, desde o nascimento até a morte, vivida numa multidão de Terras, vive-se ainda em dez mil edições diferentes.

Os grandes eventos de nosso globo têm uma contraparte, sobretudo quando a fatalidade toma parte neles. Talvez os ingleses tenham perdido muitas vezes a batalha de Waterloo, em globos em que seu adversário não cometeu o mesmo equívoco que Grouchy. Em compensação, Bonaparte nem sempre leva a vitória em Marengo, que aqui foi uma barbada.

Ouço clamores: "Ah!, mas que loucura essa, que chega a nós diretamente do internato de Bedlam! Milhares de exemplares de Terras análogas! Outros tantos milhares, com começos similares! Centenas de milhões, para a estupidez e os crimes da humanidade! E milhares de milhões, para as fantasias individuais! Cada um de nossos bons ou maus humores teria um lugar especial no globo, teria suas ordens. Todos os cruzamentos do céu estariam repletos de duplicações nossas!".

Mas não, essas reduplicações não se acumulam em nenhuma parte, são na verdade bastante raras, embora se contem aos milhares, ou seja, embora não contem. Nossos telescópios, que percorrem um campo considerável, não descobrem sequer uma edição de nosso planeta, supondo que alguma delas fosse visível. O intervalo a ser percorrido é mil ou talvez 100 mil vezes maior, antes que se tenha a chance de encontrar algo assim. Dentre mil milhões de sistemas estrelares, quem poderia dizer se encontramos uma só reprodução de nosso grupo ou de um de seus membros? E, no entanto, o número é infinito. Dizíamos no começo: "Cada palavra foi enunciada a partir das mais espantosas distâncias, falar-se-ia assim em milhares de milhares de séculos, em uma palavra por segundo, para exprimir uma insignificância, em se tratando do infinito".

Esse pensamento aplica-se aqui. Como tipos especiais, cada um tem seu exemplar, e as miríades de terras não passariam de um ponto no espaço. Cada uma delas Teria que ser repetida ao infinito, antes de contar como alguma coisa. A terra, sósia exata da nossa, do dia de seu nascimento ao de sua morte, e ao de sua ressurreição, essa Terra existe às milhares de cópias, para cada segundo de sua duração. É seu destino como repetição de uma combinação original, e tantas repetições dos outros tipos o compartilham com ela.

O anúncio de uma duplicata de nossa residência terrestre, com todos os seus hóspedes, sem distinção, do grão de areia ao imperador da Alemanha, pode parecer uma possibilidade levemente fantástica, sobretudo em se tratando de uma duplicata aos milhares. O autor, naturalmente, considera excelentes suas próprias razões, pois as repetiu já cinco ou seis vezes. Parece-lhe difícil crer que a natureza, executando a mesma tarefa com os mesmos materiais e sob a mesma direção, não seja constrangida a adotar o mesmo molde. O contrário é que seria surpreendente.

Quanto à tiragem profusa, não há que se preocupar com o infinito, ele é rico. Por insaciável que se possa ser, ele tem muito mais do que todas as demandas, muito mais do que todos os sonhos. De resto, essa avalanche de amostras não cai inteira sobre uma mesma localidade. Espalha-se por campos incomensuráveis. Pouco nos importa que nossos sósias sejam nossos vizinhos. Estivessem na Lua, a conversação entre nós não seria mais cômoda, nem o conhecimento, mais fácil. É mesmo reconfortante saber que nos encontramos aqui, bem longe, mais longe que o diabo Vauvert, calçando pantufas, lendo o jornal, ou então assistindo à Batalha de Valmy, que neste momento se desenrola em milhares de repúblicas francesas.

Acaso na outra extremidade do infinito, numa Terra qualquer, o príncipe real teria chegado tarde demais a Sadowa, permitindo assim que o infeliz Benedeck vencesse a batalha? Mas eis Pompeu, prestes a perder a do Farsalo. Pobre homem! Vai buscar por consolo em Alexandria, ao lado de seu bom amigo, o rei Ptolomeu... César é todo sorrisos! Mas atenção, está prestes a receber, em pleno Senado, os 22 golpes de punhal... Mas o quê! É sua ração cotidiana, desde o não começo do mundo, e o infinito as lista com uma filosofia imperturbável. É verdade que seus sósias não o alertam. Eis o terrível! Não se pode ser advertido. Se fosse permitido transmitir a história de sua vida, com alguns bons conselhos, aos duplos que se possui no espaço, seriam poupados de muitas tolices e aborrecimentos.

Tudo isso, no fundo, apesar da galhofa, é algo muito sério. Não se trata em absoluto de antileões, antitigres, nem de olhos, no fim da fila; trata-se de matemática, e de fatos positivos. Desafio a natureza a não fabricar diariamente, desde que o mundo é mundo, sistemas solares aos milhares, decalques servis do nosso, quanto ao material e ao contingente. Permito que ela suprima o cálculo das probabilidades, mas nem por isso deixará de ter uma. Quando tiver percorrido sua espiral, rebatê-la-ei ao infinito, e a encarregarei de se executar a si mesma, ou seja, de executar duplicatas sem fim. Não escondo que meu motivo para tanto é a beleza dos modelos, que seria uma pena não multiplicar até a saciedade. Parece-me malsão e bárbaro, envenenar o espaço com uma multidão de países fétidos.

Observações inúteis, de resto. A natureza não conhece nem pratica a moral em ação. O que ela faz, não o faz deliberadamente. Trabalha às cegas, destrói, cria, transforma. O resto não lhe diz respeito. De olhos fechados, aplica o cálculo das probabilidades com mais propriedade do que todos os matemáticos poderiam explicá-lo, de olhos bem abertos. Nenhuma variante lhe escapa, nenhum acaso permanece no fundo da urna. Sorteia todos os números. Quando não resta mais nada no fundo do saco, abre-se para as repetições, tonel sem fundo, que não se esvazia jamais, diferentemente do das Danaides, que nunca está cheio.

Assim procede a matéria desde que é matéria, o que não data de uma semana. Trabalhando a partir de um plano uniforme, com cem corpos simples, que não diminuem nem aumentam sequer um átomo, ele só poderia repetir infindavelmente certa quantidade de combinações diferentes, que a esse título se chamam primordiais, originais etc. De seu canteiro saem apenas sistemas solares.

Em virtude mesmo de existir, todo astro existiu desde sempre, existirá para sempre, não em sua atual personalidade, temporária e perecível, mas numa série infinita de personalidades similares, que se reproduzem através dos séculos. Pertence a uma das combinações originais permitidas por arranjos diversos com cem corpos simples. Idêntico a suas encarnações prévias, colocado nas mesmas condições que as delas, ele vive e viverá exatamente a mesma vida, no conjunto e nos detalhes, que os seus avatares anteriores.

Todos os astros são repetições de uma combinação original, ou tipo. Não poderia haver novos tipos. Seu número é necessariamente limitado, na origem das coisas, por mais que as coisas não tenham origem. Isso significa que um número permanente de combinações originais existe para toda a eternidade, e não é suscetível a aumento ou diminuição, não mais do que a matéria. É e permanecerá sendo o mesmo, até o fim das coisas, que não podem terminar, não mais do que podem começar. Eternidade dos tipos atuais, no passado como no futuro, sem nenhum astro que não seja um tipo repetido ao infinito, no tempo e no espaço — tal é a realidade.

Nossa Terra, a exemplo dos demais corpos celestes, é a repetição de uma combinação primordial, que se reproduz sempre como a mesma e existe simultaneamente em milhares de exemplares idênticos. Cada exemplar nasce, vive e morre. Nasce e morre aos milhares, a cada segundo que passa. Em cada um deles sucedem-se todas as coisas materiais, todos os seres organizados, na mesma ordem, no mesmo lugar, no mesmo minuto em que se sucedem em outras Terras, seus sósias. Por conseguinte, todos os fatos consumados ou a se consumarem em nosso globo, antes que eles venham a morrer, consumam-se exatamente idênticos nos milhares de globos semelhantes. E como isso vale para todos os sistemas estrelares, o universo inteiro é a reprodução permanente, sem fim, de um material e de um contingente sempre renovado e sempre o mesmo.

A identidade entre dois planetas exigiria identidade entre seus sistemas solares? Com certeza a dos dois sóis é absolutamente necessária, sob pena de haver uma alteração nas condições de existência que levaria esses astros a destinos diferentes, malgrado sua identidade original, que de resto seria pouco provável. Nos dois grupos estrelares, seria a similitude completa também de rigor, entre cada um dos globos correspondentes em número e posição? É preciso um duplo

Mercúrio, um duplo Marte, um duplo Netuno etc.? Questão insolúvel, faltam dados.

Sem dúvida, esses corpos têm influência uns nos outros, e a ausência de Júpiter, por exemplo, ou a redução de seu tamanho em nove décimos, seria para os vizinhos uma causa sensível de modificação. De todo modo, a distância atenua essas causas e pode mesmo anulá-las. Ademais, o Sol reina soberano, como luz e como calor, e quando se pensa que sua massa está para a de seu cortejo planetário em razão de 744 a 1, parece que essa enorme potência de atração deve anular todo rival. Mas não é o que acontece. Os planetas exercem sobre a Terra uma ação bem averiguada.

De resto, essa questão é indiferente à nossa tese. Se é possível haver identidade entre duas Terras, sem que assim se reproduza entre os demais planetas correlatos, é coisa feita de imediato, pois a natureza não se equivoca em suas combinações. Caso contrário, pouco importa. Que as Terras-sósias exijam, como condição *sine qua non*, sistemas solares sósias, que seja. Do que resultam simplesmente, em consequência, milhões de grupos estrelares em que o nosso globo, no lugar de sósias, possui menecmas em graus diversos, combinações originais repetidas ao infinito, assim como todas as outras.

Sistemas solares perfeitamente idênticos e em número infinito cumprem sem dificuldade um programa estabelecido. Constituem um tipo original. Neles, todos os planetas, correspondendo-se numa escala, oferecem a mais impecável identidade. Mercúrio é sósia de Mercúrio, Vênus de Vênus, a Terra da Terra etc. Aos milhares esses sistemas distribuem-se no espaço, como repetições de um tipo.

Dentre as combinações diferenciadas, haveria aquelas em que as diferenças se impõem a globos idênticos desde a hora de seu nascimento? É preciso distinguir. Essas mutações não são admissíveis como obras espontâneas da matéria mesma. O estado inicial de um astro determina toda a série de suas transformações materiais. A natureza só tem leis inflexíveis, imutáveis. Na medida em que governam sozinhas, tudo segue uma marcha determinada e irrevogável. As variações começam porém com os seres animados dotados de vontade, ou, dito de outra maneira, de caprichos. Quando os homens intervêm, a fantasia intervém com eles. Não é que eles possam com isso modificar o planeta. Seus mais gigantescos esforços não movem um monte de areia, o que os impede de posar como conquistadores e cair em êxtase, diante de seu próprio gênio e potência. A matéria não tardou a aniquilar essas obras de mirmidões, quando erguidas contra ela. Buscai por essas cidades famosas, Nivina, Babilônia, Tebas, Mênfis, Persépolis, Palmira, em que pululavam milhões de habitantes em febril atividade. Que resta delas? Nem mesmo os escombros. A grama e a areia recobrem seus túmulos. Que as obras humanas sejam negligenciadas por um instante, e a natureza começa tranquilamente a demoli-las; por mais que demore, encontra-se reinstalada, florescente, sobre seus detritos.

Se os homens mal ameaçam a matéria, em compensação ameaçam muito a si mesmos. Sua turbulência nunca incomoda seriamente a marcha natural dos fenômenos físicos, mas perturba a humanidade. É preciso portanto precaver-se contra essa influência subversiva que altera o curso dos destinos individuais, destrói ou modifica as raças animais, dilacera as nações e arruína os impérios. Certo, essas brutalidades são realizadas sem nem mesmo arranhar a epiderme terrestre. O desaparecimento dos perturbadores não deixará traço de sua presença dita soberana, e será suficiente para que a natureza recupere sua virgindade, a tanto custo desflorada.

É entre si mesmos que os homens fazem vítimas e realizam imensas alterações. No bojo das paixões e dos interesses em conflito, sua espécie agita-se com mais violência do que o oceano em meio à tempestade. Quanta diferença entre a marcha de humanidades que no entanto iniciaram sua carreira com o mesmo contingente, devido à identidade de condições materiais entre os seus planetas! Considerando-se a mobilidade dos indivíduos, e os mil problemas que não cessam de extraviá-los em sua existência, chegar-se-á sem dificuldade a sextilhões de sextilhões de variantes do gênero humano. Mas uma só combinação original da matéria, a de nosso sistema planetário, fornece, através de repetições, milhares de Terras, elevando os sósias a sextilhões de humanidades diversas, saídas das efervescências do homem. O primeiro ano do caminho dará dez variantes, o segundo 10 mil, o terceiro milhões, e assim por diante, com um crescendo proporcional ao progresso, que se manifesta, como se sabe, em procedimentos extraordinários.

Essas diferentes coletividades humanas têm em comum apenas isto: a duração, pois por terem nascido de cópias do mesmo tipo original, cada uma escreve seu exemplar a seu modo. O número dessas histórias particulares, por maior que se possa imaginá-lo, é sempre finito, e sabemos que a combinação primordial é infinita, por repetições. Cada uma das histórias particulares representa uma mesma coletividade e extrai-se aos milhares de provas semelhantes, e cada indivíduo, parte integrante dessa coletividade, possui sósias aos milhares. Sabe-se que todo homem pode figurar ao mesmo tempo em diversas variantes, como consequência de mudanças no caminho que trilham seus sósias em suas respectivas Terras, mudanças que redobram a vida sem tocar na personalidade.

Resumamos. A matéria, constrangida a construir apenas nebulosas, mais tarde transformadas em grupos estrelo-planetários, não poderia, malgrado sua fecundidade, ir além de certo número de combinações especiais. Cada um desses tipos é um sistema estrelar que se repete infindavelmente, único meio de promover o povoamento da extensão. Nosso Sol, com seu cortejo de planetas, é uma das combinações originais, e resulta, como as demais, de milhares de amostras. De cada uma dessas amostras faz parte naturalmente uma Terra idêntica à nossa, uma Terra-sósia quanto à constituição material, e que por conseguinte engendra as mesmas espécie vegetais e animais que nascem na superfície da Terra.

Todas as humanidades, idênticas na hora de eclosão, seguem, cada uma em seu planeta, a rota traçada pelas paixões, e os indivíduos contribuem para a modificação dessa rota, com sua influência particular. Resulta disso que, malgrado a identidade invariável dos inícios, a humanidade não tem o mesmo contingente em todos os globos similares, e cada um desses globos como que tem sua humanidade especial, saída da mesma fonte, partida do mesmo ponto que as outras, mas desviada no caminho por mil sendas, para chegar afinal a uma vida e a uma história diferentes.

Mas o número restrito de habitantes da Terra não permite que essas variantes da humanidade ultrapassem um número determinado. Portanto, por prodigioso que pareça, esse número de coletividades humanas particulares é finito. Ele não é nada, comparado à quantidade infinita das Terras idênticas, domínio da combinação solar tipo, que possuem todas, na origem, humanidades nascentes paralelas, ainda que depois incessantemente modificadas. Segue-se que cada Terra, contendo uma dessas coletividades humanas particulares, resultado de modificações incessantes, deve repetir-se milhares de vezes para fazer face às necessidades do infinito. Daí os milhares de terras, absolutamente sósias, em contingente e em material, em que nada varia, em tempo ou em lugar, nem sequer um milésimo de segundo, um fio de aranha. Ocorre com essas variantes terrestres ou coletividades humanas o mesmo que com os sistemas solares originais. Seu número é limitado, pois tem como elementos números finitos, homens de uma Terra, assim como os sistemas solares originais têm como elemento um número finito, os cem corpos simples. Cada variante tira amostras aos milhares.

Tal é o destino comum de nossos planetas, Mercúrio, Vênus, a Terra etc., e o dos planetas de todos os sistemas solares primordiais, ou tipos. Acrescentemos que, desses sistemas, milhões se aproximam do nosso sem serem a sua duplicata, e contam inumeráveis Terras, não mais idênticas àquela em que vivemos, mas tendo com ela todos os graus possíveis de semelhança ou analogia.

Todos esses sistemas, todas essas variantes e suas repetições, formam inumeráveis séries de infinitos parciais, que vão desaguar num grande infinito, como rios num oceano. Que não se diga aqui: onde encontrar lugar para tantos mundos?, mas sim, Onde encontrar mundos para tanto lugar? Pode-se dá-los aos milhares ao infinito, ele sempre pedirá mais.

Os doutrinários zombarão talvez de nossos infinitos parciais, felicitando-nos por darmos tanto valor a dinheiro falso. Com efeito, quando se recusa um infinito uniforme à extensão, e atribuem-se a ela milhões, o procedimento parece não oferecer dificuldade. Nada mais simples, contudo. Sendo o espaço sem limites, pode-se dar a ele qualquer figura, precisamente por não ter nenhuma. Antes esfera, ei-lo agora cilindro.

Entende-se que esses astros não permanecem estacionados em categorias de acordo com sua identidade. As conflagrações renovadoras nos fundem e os misturam incessantemente. Um sistema solar não renasce, como a fênix, de sua própria combustão, que contribui, ao contrário, para formar combinações diferentes. Ele obtém sua revanche alhures, rejuvenescido por outras volatilizações. Os materiais são por toda parte os mesmos, cem corpos simples, e, sendo o dado infinito, as probabilidades equalizam-se. O resultado é a permanência invariável do conjunto, graças à transformação perpétua das partes.

Caso a Chicana, montada a cavalo no Indefinido, venha com suas querelas, exigindo que nos expliquemos a respeito do Infinito, nós a recomendaremos aos habitantes de Júpiter, que sem dúvida têm mais miolos do que nós. Quanto a nós, não temos como ir além do indefinido. É uma forma conhecida, e não tentamos outra, de conhecer o Infinito. Acrescenta-se espaço a espaço, e o pensamento logo chega à conclusão de que ele é sem limites. Seguramente, acrescentar-se-ia, contando-se as miríades de séculos, que o total é sempre um número finito. Mas o que isso prova? Primeiro o Infinito, pela impossibilidade de parar, depois a fraqueza de nosso cérebro.

Sim, depois de termos semeado números a perder de vista, sentimo-nos exaustos após darmos o primeiro passo na rota do infinito. Mesmo assim, é algo tão claro como impenetrável, e deixa-se demonstrar perfeitamente em duas palavras: O espaço repleto de corpos celestes, eternamente, sem fim. É algo muito simples, ainda que incompreensível.

Nossa análise do universo colocou em cena sobretudo os planetas, único teatro da vida orgânica. As estrelas permaneceram em segundo plano. É que ali as formas não mudam, não há metamorfoses. Nada além do tumulto do incêndio colossal, fonte do calor e da luz, depois seu progressivo decrescimento, por fim as trevas glaciais. Nem por isso a estrela deixa de ser o foco vital dos grupos constituídos pela condensação das nebulosas. É ela que classifica e regula o sistema de que é o centro. Em cada combinação-tipo, mudam a sua grandeza e o seu movimento. Ela permanece imutável, em todas as repetições desse tipo, incluindo-se as variantes planetárias que são o fato da humanidade.

Não se deve imaginar, com efeito, que essas reproduções de globos sejam feitas para os belos olhos dos sósias que os habitam. O preconceito do egoísmo e da educação, que tudo refere a nós, é uma tolice. A natureza não se ocupa de nós. Ela fabrica grupos estrelares conforme os materiais à sua disposição. Uns são originais, outros são duplicatas, editados aos milhares. Propriamente dizendo, não há originais, ou seja, primeiros quanto à data, apenas há tipos diversos, a partir dos quais se classificam os sistemas solares.

Que os planetas desses grupos produzam ou não homens, pouco importa à natureza, que não tem nenhuma espécie de preocupação, que faz o que tem que ser feito sem se inquietar com as consequências. Ela aplica 998 milésimos da matéria às estrelas, e o resto, *dez milésimos*, aos planetas, metade dos quais, se não mais, se dispensa igualmente de alojar e alimentar bípedes do nosso molde. Em suma, portanto, ela faz tudo muito bem. Não há do que reclamar. Mais modesta, a lâmpada que nos ilumina e nos aquece nos abandonaria rapidamente à noite eterna, ou antes jamais teríamos vindo à luz.

Somente as estrelas teriam do que se queixar, mas elas não se queixam. Pobres estrelas! Seu papel de esplendor é um papel de sacrifício. Criadoras e servas da potência produtora dos planetas, não a possuem em si mesmas, e devem resignar-se à sua carreira monótona e ingrata de meras tochas. Têm brilho, mas não têm gozo; atrás delas escondem-se invisíveis as realidades vivas. Mas essas rainhas-escravas são feitas da mesma massa que seus felizes súditos. Os cem corpos simples respondem por tudo o que elas são. Mas elas só se tornam fecundas quando despojadas de sua grandeza. Se agora são chamas deslumbrantes, serão um dia trevas e gelo, e retornarão à vida como planetas, após o choque que volatilizará o cortejo e sua rainha, transformando-os em nebulosa.

Enquanto esperam por essa venturosa degradação, as soberanas, sem saber, governam seus reinos com benfeitorias. Elas fazem a colheita, mas não ganham nada. Têm todas as obrigações, mas nenhum benefício. Senhoras soberanas da força, utilizam-na em proveito da fraqueza... Caras estrelas! Tereis poucos imitadores.

Concluamos finalmente quanto à imanência das parcelas mais ínfimas de matéria. Se sua duração não é mais que um segundo, seu renascimento não tem limites. A infinitude no tempo e no espaço não é um apanágio exclusivo do universo como um todo. Pertence também às formas da matéria, mesmo ao grão de areia.

Assim, por graça de seu planeta, cada homem possui na extensão um número infindável de duplicações que vivem sua vida, absolutamente tal como ele mesmo a vive. Ele é infinito e eterno na pessoa de outros ele mesmo, não somente em sua idade atual como em todas as idades. Há simultaneamente, aos milhares, em cada segundo, sósias que nascem, outros que morrem, outros ainda cuja idade se extingue, de segundo em segundo, desde o nascimento até a morte.

Caso alguém interrogue as regiões celestes para indagar-lhes o seu segredo, milhares de sósias abrem ao mesmo tempo os olhos, com a mesma questão no pensamento, e todos esses olhares se cruzam, invisíveis. Não é somente uma vez que essas mudas interrogações atravessam o espaço, é sempre. Cada segundo da eternidade viu e verá a situação de hoje, milhares de Terras-sósias da nossa, trazendo nossos sósias pessoais.

Assim, cada um de nós viveu e viverá sem fim, sob a forma de milhares de *alter ego*. Tal se é em cada segundo de sua vida, tal é o estereótipo com milhares de variações, na eternidade. Compartilhamos o destino dos planetas, as mães que nos aleitam, no seio das quais vem a lume essa inesgotável existência. Os sistemas estrelares envolvem-nos em sua perenidade. Única organização da matéria, eles têm ao mesmo tempo sua fixidez e sua mobilidade. Cada um deles é um clarão, mas esses clarões iluminam o espaço eternamente.

O universo é infinito em seu conjunto e em cada uma de suas frações, estrela ou grão de poeira. Tal ele foi e será sempre, sem um átomo ou um segundo de variação. Não há nada de novo sob os sóis. Tudo o que se faz, está feito e se fará. E no entanto, embora seja o mesmo, o universo de antes não é como o do presente e o do presente não será como o do futuro, pois não permanece imutável e imóvel. Bem ao contrário, modifica-se incessantemente. Todas as suas partes estão em movimento contínuo. Destruídas aqui, reproduzem-se simultaneamente alhures, como novas individualidades.

Os sistemas solares terminam, depois recomeçam, com elementos similares, associados em alianças diferentes, reprodução infatigável de exemplares iguais, encontrados em diferentes variados. É uma alternância, uma troca perpétua de renascimentos, através da transformação.

O universo é ao mesmo tempo vida e morte, destruição e criação, mudança e estabilidade, tumulto e repouso. Ele se faz e se desfaz infindavelmente, sempre o mesmo, com os seres sempre renovados. Malgrado seu perpétuo devir, ele é clichê em bronze, e vira incessantemente a mesma página. Conjunto e detalhes, ele é eternamente transformação e imanência.

O homem é um desses detalhes. Compartilha a mobilidade e a permanência do grande Todo. Não há ser humano que não tenha figurado em milhares de globos, há muito lançados no cadinho de refundições. Recuar-se-ia em vão na tormenta dos séculos para encontrar um momento em que ele não tenha vivido. Pois o universo não teve começo, e o homem tampouco, por conseguinte. Seria impossível recuar até uma época em que todos os astros já não tivessem sido destruídos e substituídos, e portanto também nós, habitantes desses astros; e jamais, no futuro, se passará um instante sem que milhares de outros nós mesmos não estejam à beira de nascer, viver e morrer. O homem, tal como o universo, é o enigma do infinito e da eternidade, e o grão de areia é o igual do homem.

VIII. RESUMO

O universo é inteiro composto de sistemas estrelares. Para criá-los, a natureza tem à disposição apenas cem corpos simples. Malgrado o prodigioso partido que sabe tirar desses recursos, e o número incalculável de combinações que eles oferecem à sua fecundidade, o resultado é necessariamente um número finito, como o dos próprios elementos, e, para preencher a extensão, a natureza deve repetir ao infinito cada uma dessas combinações originais ou tipos.

Portanto, todo astro, qualquer que seja, existe no tempo e no espaço em número infinito, não somente sob um de seus aspectos, mas tal como se encontra em cada um dos segundos de sua duração, desde nascimento até a morte. Todos os seres espalhados pela sua superfície, grandes ou pequenos, vivos ou inanimados, compartilham o privilégio dessa perenidade.

A Terra é um desses astros. Todo ser humano é portanto eterno, em cada segundo de sua existência. O que escrevo neste momento numa cela do forte de Taureau, eu escrevi e escreverei através da eternidade, numa mesa, com uma pluma, com uniforme, em circunstâncias similares. E assim para os demais homens.

Todas essas Terras mergulham, uma após as outras, em abismos de chamas renovadoras, para ali renascer e ali recair, escoamento monótono de uma ampulheta que perpetuamente se preenche e se esvazia a si mesma. É um novo sempre velho, e um velho sempre novo.

Os curiosos a respeito de vida extraterrestre poderiam sorrir diante de uma conclusão matemática que outorga a eles não somente imortalidade como também eternidade. O número de nossos sósias é infinito, no tempo e no espaço. Em sã consciência, quem poderia exigir mais? Esses sósias são de carne e osso, quem sabe de pijamas, tecidos em crinolina. Não são fantasmas, são a atualidade, eternizada.

Mas há um defeito, e grande: não há progresso. Ai de mim! Não, o que há são reedições vulgares, repetições. Tais os exemplares de mundos passados, tais serão os de mundos futuros. Somente o capítulo das bifurcações resta aberto à esperança. Não esqueçamos, tudo o que podemos ser aqui embaixo, somos em alguma outra parte.

O progresso está reservado aos nossos sobrinhos. Eles têm mais chances do que nós. Todas as belas coisas que nosso globo verá, que nossos futuros descendentes já viram, as veem neste momento, e as verão sempre, bem entendido, sob a forma de sósias que os precederam e que os sucederão. Filhos de uma humanidade melhor, eles já nos deixaram para trás, em Terras mortas, que habitaram depois de nós. Continuam a fustigar-nos em Terras vivas de que teremos desaparecido, nos perseguirão para sempre com seu desprezo, em Terras por nascer.

Eles e nós, e todos os hóspedes de nosso planeta, renascemos prisioneiros do momento e do lugar que os destinos nos consignam na série de seus avatares. Nossa perenidade é um apêndice da sua. Somos apenas fenômenos parciais de suas ressurreições. Homens do século XIX, a hora de nossas aparições está fixada para sempre, e conduz-nos, sempre os mesmos, com a perspectiva de variantes cada vez mais aventuradas. Em tudo isso, nada que sacie a sede por algo melhor. O que fazer? Não busquei pelo meu prazer, busquei pela verdade. Não há aqui nem revelação, nem profecia, mas uma simples dedução da análise espectral e da cosmologia de Laplace. Essas duas descobertas nos tornam eternos. É uma alvorada? Aproveitemo-la. É uma mistificação? Resignemo-nos.

Não é um consolo saber que se está eternamente em companhia, em milhares de Terras, de pessoas amadas que se tornaram para nós uma mera lembrança? E não é um consolo pensar que se experimentou e experimentar-se-á eternamente essa felicidade, sob a figura de um sósia, de milhares de sósias?

Pois somos sempre nós. Para muitos espíritos menores, essas felicidades menores são insuficientes para embriagar. Prefeririam as duplicatas do infinito três ou quatro anos de suplemento na edição corrente. Estamos presos ao nosso século de desilusões e ceticismo.

No fundo, é melancólica essa eternidade do homem através dos astros, e mais triste ainda é esse sequestro de mundos-irmãos pela inexorável barreira do espaço. Tantas populações idênticas que se esvaem, sem ter suspeitado de sua mútua existência! Sim, é verdade. Enfim descobrimos essa eternidade, no século XIX. Mas quem poderia ter acredito que é assim?

Até hoje, o passado representou para nós a barbárie, e o futuro significou ciência, progresso, felicidade, ilusão. Esse passado testemunhou, em todos os nossos globos-sósias, o desaparecimento das civilizações mais brilhantes, sem que deixassem um traço, e elas desaparecerão novamente, mais uma vez sem deixá-los. O futuro verá, de novo, em milhares de Terras, as ignorâncias, as tolices, as crueldades de nossas épocas, que serão antigas.

Atualmente, a vida inteira de nosso planeta, desde o nascimento até a morte, desenrola-se, dia após dia, em miríades de astros-irmãos, com todos os seus crimes e maldades. Isso que chamamos de progresso está confinado a cada Terra, e desaparece com ela. Sempre e por toda parte, no campo terrestre, o mesmo drama, a mesma encenação, sobre o mesmo palco estreito, uma humanidade ruidosa, enfatuada com sua própria grandeza, julgando-se como o universo, em sua prisão, como se esta fosse uma imensidão, tudo isso para em breve se apagar, juntamente com o globo que o fardo de seu profundo orgulho vestiu com o mais profundo desprezo. Nos astros estrangeiros, mesma monotonia, mesmo imobilismo. O universo repete-se a si mesmo infindavelmente, em torno de si mesmo. A eternidade joga, imperturbavelmente, no infinito, as mesmas representações.

POSFÁCIO

ETERNA E ASTRAL, UMA REVOLUÇÃO AO PÉ DA LETRA

Lisa Block de Behar

Na cela circular, um homem que se parece comigo escreve, em caracteres que não compreendo, um longo poema sobre um homem que em outra cela circular escreve um poema sobre um homem que em outra cela circular... O processo não tem fim e ninguém poderá ler o que os prisioneiros escrevem.

Jorge Luis Borges

No limite das coisas que não compreendemos de todo, inventamos relatos fantásticos para aventurar hipóteses ou para compartilhar com outros as vertigens de nossa perplexidade.

Adolfo Bioy Casares

A eternidade das penas do inferno talvez tenha privado a antiga ideia do eterno retorno de seu ângulo mais terrível. Põe a eternidade dos tormentos no lugar ocupado pela eternidade de uma revolução sideral.

Walter Benjamin

Atualmente, é responsabilidade legítima dos cientistas, como o foi 2300 anos atrás, dar conta da formação do sistema solar e do conjunto de estrelas que formam a galáxia com o fortuito de átomos. Ao perguntar ao maior expositor desta teoria sobre como pôde escrever um imenso livro sobre o sistema do mundo sem mencionar seu autor, respondeu, muito logicamente: "Je n'avais pas besoin de cette hypothèse-là".

Charles Sanders Peirce

Em mais de um sentido, A eternidade conforme os astros, *publicado em Paris no início de 1872, é um livro estranho. Escrito por Louis-Auguste Blanqui (1805-1881), um revolucionário que a história registra pela audácia de suas conspirações e pela perseverança de sua agitação política, o livro surpreende em virtude da lucidez poética de uma imaginação que habilita um itinerário inesperado, sideral e familiar ao mesmo tempo: "Me refugio nos astros onde se pode passear sem limites", escreve à sua irmã, em uma carta dirigida da prisão, como que fazendo referência a um acolhedor amparo estrelar ao qual recorresse habitualmente. Seu autor foi reconhecido como o chefe natural da Comuna e, mais tarde, como "o maior lutador do período que se estende entre 1827 e 1881".*[1]

Baudelaire, que admirava Robespierre, via em Blanqui, em seu caráter "ardente e puro", a reencarnação de quem alentou Terror e Virtude. Mereceu o apreço de Karl Marx, que, apesar das marcadas discrepâncias, não deixou de reconhecer em Blanqui "a cabeça e o coração do partido proletário da França". Seus opositores viam nele o mais perigoso de seus inimigos; aqueles que formavam suas fileiras e compartilhavam afinidades ideológicas tampouco dissimulavam as apreensões que a ressonância de sua clamorosa pregação sediciosa lhes suscitava. Foi para Walter Benjamin "a voz de bronze [que] estremeceu o século XIX". Nas anotações que adiantam seu livro sobre Baudelaire, Benjamin se propõe a confrontar a ambos, a fim de desanuviar de uma vez por todas — são palavras suas — as brumas que escondem as "iluminações" de quem costuma se lembrar segundo a veemência descontínua de seus partidários: "Baudelaire se encontra tão isolado no mundo literário de sua época como Blanqui no mundo dos conspiradores".[2] *"O abismo" [Le gouffre], entre outros poemas de Baudelaire, replica sua visão vertiginosa do infinito e do silêncio, o silêncio da prisão e do espaço insondável, mas também do desejo e dos*

[1] André Mitry. *Auguste Blanqui. Révolutionnaire trois fois condamné à mort* (panfleto político publicado pela Société Amis de Blanqui em 2 de fevereiro em sua assembleia constitutiva), Paris: 1951, 31 pp.

[2] Walter Benjamin. *Paris, capitale du XIXe siècle. Le livre des passages.* Rolf Tiedemann (Ed. original e introd.). Paris: Les Éditions du Cerf, 1989, p. 384.

sonhos de um terrorista que em plena ação não deixava de pensar. Blanqui sucumbiu, Baudelaire alcançou o sucesso, e no vaivém comparativo Benjamin enaltece o autor de A eternidade conforme os astros *em relação a outros personagens da época.*

Condenado por suas insurreições contra a monarquia, temido por suas violentas acusações contra o clero, contra a burguesia, contra a franco-maçonaria, perseguido como impetuoso organizador de sociedades secretas, vítima das calúnias daqueles que foram seus companheiros, Blanqui foi preso mais de vinte vezes, deportado e três vezes sentenciado à morte. Passou mais de trinta anos de sua vida encarcerado nas prisões mais severas: no monte Saint-Michel, na ilha Belle-île-en-Mer, no Fort de Taureau, onde foi submetido, em virtude dos acontecimentos da Comuna de Paris, às condições carcerárias mais terríveis só porque se suspeitava ou se confirmava que tivesse participado das encarniçadas lutas daquele momento.

Durante circunstâncias de contínua dissensão política e constante desassossego social, concebe e escreve este livro estranho a seu fervor político, às suas manobras revolucionárias, no qual espanta que não se insinuem nem os excessos de seu ânimo combativo, nem a adversidade da condenação, nem as penúrias da prisão. Do interior mais reduzido de sua cela, sua escritura lhe habilita a entrada em outros mundos, aos quais tem acesso por uma imaginação em fuga rumo a espaços insonoros e tempos repetidos. Contemporâneo do flâneur *que demora seu ócio nas ruas de Paris, Blanqui se compraz em perambular pelo espaço infinito para além das incertezas, das contingências que prevê à distância, comprometido com seu tempo mas escrevendo à margem da história e de seus estrépitos, das ações ensurdecedoras que ele mesmo provocava da penumbra de calabouços cada vez mais sólidos e sórdidos.*

A notável biografia que lhe dedica Gustave Geffroy o apresenta como "o encarcerado" [L'enfermé],[3] *um título que poderia ter sido a inscrição emblemática de sua divisa. Os desvelos do biógrafo abrangem*

[3] Gustave Geffroy. *L'enfermé*, 2 v. Paris: Les Éditions G. Crés et Cié., 1926.

em dois volumes as vicissitudes de sua luta, as atribulações de uma época na qual não escassearam as aflições de seu sacrifício brutal, o resgate doutrinário e visionário, raciocinado e poético, de um tempo por vir, tentando adiantá-lo em um século que transcende 'a velha ordem social' com as fantasmagorias de sua divagação.

Apesar da clausura e do isolamento, sem claudicar de suas ideias nem desistir de seus propósitos, Blanqui continuou resistindo: do interior de sua cela declarou a guerra nas ruas, organizou barricadas, ordenou e publicou as Instructions pour une prise d'armes, *um texto que circulou discretamente entre 1868 e 1869. Mesmo na prisão, não deixava de agir nem renegava de suas convicções, no centro das maiores agitações; dali, em 1861, foi conduzido ante os tribunais, de onde se documenta o seguinte diálogo:*

> *— Apesar de seus 25 anos de prisão, o senhor conservou suas mesmas ideias?*
> *— Exatamente.*
> *— E não só suas ideias, como também o desejo de fazê-las triunfar?*
> *— Sim, até a morte.*

Passariam muitos anos mais e acontecimentos cada vez mais desgraçados; na mesma medida crescia sua obstinação. Embora Blanqui não seja o protagonista de L'Insurgé[4] *— o conhecido romance de Jules Vallès, de alguma maneira "o encarcerado" se identifica com "o insurgente". No curso da narração, seu nome aparece mencionado várias vezes; o narrador reitera e estende a austeridade de sua figura despojada em descrições fiéis; estampa suas advertências contra riscos que conhecia; lembra das instruções, dos gestos tranquilos: "[Blanqui] lhes dava um curso de estratégia política e militar", diz o narrador. O romance de Vallès trata da Comuna; nesse marco trágico não elude as precisões de um realismo revolucionário, no qual uma e outra vez apresenta o protagonismo de Blanqui e, como se necessitasse corroborar sua identidade, afirma: "É Blanqui". Dando testemunho*

[4] Jules Vallès. *L'Insurgé*, publicação póstuma de 1896. Paris: Garnier-Flammarion, 1970, pp. 160, 184-5.

de sua presença, a menção torna-se uma dessas referências recorrentes que mostram a verossimilhança histórica na ficção, um personagem de verdade que, por real, não é menos épico em uma insurreição que, por histórica, tampouco é menos legendária.

> *Bem perto, um velhinho perambula, sozinho, completamente sozinho, mas vejo que é seguido pelo olhar de um bando no meio do qual reconheço os amigos de Blanqui.*
>
> *É ele, o homem que percorre ao longo de toda a muralha, depois de haver andado o dia inteiro sobre os flancos do vulcão, olhando se não surgia, por cima da multidão, uma chama que seria o primeiro resplendor da bandeira vermelha.*
>
> *Esse solitário, esse velhinho, é Blanqui!*

Anos depois, indagando sobre a atualidade de Blanqui, Alain Decaux estende, em um volumoso livro, ao longo de mais de seiscentas páginas, sua imagem de revolucionário consagrado à insurreição: Blanqui, l'insurgé,[5] *um título que restitui em parte as contradições as quais ficará definitivamente associado: o encarcerado, ainda prisioneiro, continuará sendo o insurgente. Sem se afastar dessa condição à qual não termina de se submeter, que constitui, contra sua vontade, sua segunda natureza, preserva-se em uma ação combativa que a prisão não consegue interromper nem deter. Pretende haver superado as contrariedades da reclusão por meio de uma saída quase retórica, outro argumento de uma fuga que nem sempre se verifica, uma espécie de salvo-conduto que dirime as injustiças do mundo pela fantástica fundação de outros mundos, à procura de uma eternidade inatingível ou inalcançável.*

Se toda ficção implica o afastamento voluntário de uma situação real particular e a crença na supressão do mundo dos avatares cotidianos para ingressar em outro, a aventura literária que estremece a prisão de Blanqui é tão desaforada como sua gesta política, já que não se conforma em atravessar os muros de uma fortaleza para passar para o outro lado da prisão, mas sim entreabre uma fresta rumo à

[5] Paris: Librairie Académique Perrin, 1976.

imensidão do espaço infinito. Os trâmites da ficção requerem uma zona de ambivalências e o claro-escuro da cela a favorece; dali espia o espaço, o prodiga. Nem fora nem dentro, entre a clausura e o vazio, entre a inércia e o voo, meio a meio, nem falso nem verdadeiro, uma passagem entre a terra e o céu, similar a essas galerias metropolitanas de onde se vislumbram, difusos, através dos vidros, os interstícios da grande cidade, as passagens que a definem como a capital do século XIX, essa fábrica de sofisticação que é Paris na crítica de Blanqui.

As reflexões astrais de Blanqui, suas minuciosas informações e presunções sobre uma ciência na ordem do dia, multiplicam essas dualidades, valendo-se de uma estratégia científica apta para fundamentar a fantasmagoria de suas visões cósmicas. Para compensar a redução da cela, não lhe basta imaginar episódios de liberdade civil em escala cidadã, e se inventa um universo sem limites, um infinito para si. Cercado por muros mais altos e espessos do que os milhares de barricadas que havia ajudado a construir, afastado dos homens pelo rigor da condenação, ele mesmo escolhe se distanciar ainda mais, deixar de lado sua hora e sua terra, por outros tempos e céus, e "sentir o prazer de viajar com a imaginação sobre a asa dos cometas que viajam de sistema em sistema".

A partir desse duplo afastamento, os paradoxos, ou as contradições, pareceriam inevitáveis: na prisão, um homem que faz da ação seu horizonte se vê reduzido à passividade pela força. Sua entrega à coletividade se transforma no mais cruel dos isolamentos. Profundamente comprometido com os acontecimentos políticos, não lhe pesa optar por uma eternidade que os anula; lutando pela justiça no presente e num futuro auspicioso, cifra sua confiança no eterno retorno. Rebelando-se contra o mundo no mundo do avesso, revelou à sua maneira, com a naturalidade que elude o assombro, a existência plural de outros mundos que avalizam uma eternidade, por repetição, durante tempos incontáveis:

Todo ser humano é portanto eterno, em cada segundo de sua existência. O que escrevo neste momento numa cela do forte de Taureau, eu escrevi e escreverei através da eternidade, numa mesa, com uma pluma, com uniforme, em circunstâncias similares. E assim para os demais homens.

Entre dois extremos, que o discurso da ciência e o discurso literário opõem, este livro de Blanqui passa por cima da história. Seu resgate poético tenta reparar, pela precisão da escritura e pelos deslocamentos da ficção, os males temporais que a autoridade inflige contra a que ele se debate até a morte, uma redenção contra as indiferenças e desigualdades de uma sociedade que deplora e insulta.

As celebrações patrióticas e partidárias, as homenagens de bulevares, de monumentos provincianos e fúnebres que o recordam, não costumam evocar que a mesma veemência com que defendia princípios revolucionários era prodigada a uma incontida paixão por escrever e por leituras que a persistente adversidade não chegava a interromper. Ao mesmo tempo que proclamou que "a ideia não é nada sem a ação", reclamava que se lhe enviasse livros: "Só um serviço [...] um só gesto de afeto"[6] *que lhe assegurasse a provisão das leituras que tanto ansiava. Interrogado no processo à Sociedade de Amigos do Povo, o diálogo com o presidente do tribunal se dá nos seguintes termos:*

— Qual a sua profissão?
— Proletário.
— Isso não é uma profissão, Blanqui.
— Como não é uma profissão! É a profissão de 30 milhões de franceses que vivem de seu trabalho e que são privados de seus direitos políticos.
— Está bem, que seja! Escrivão, redija que o prisioneiro é proletário.[7]

Quando teve que comparecer diante do conselho de guerra na sala de audiências do Palácio da Justiça de Versalhes, outro diálogo que manteve com o magistrado muda de assunto, embora não de tom.

[6] Gustave Geffroy insiste em sua avidez pela leitura e em suas reclamações para que lhe fossem passados livros, folhetos, jornais, revistas, atlas; op. cit., v. I, p. 231.
[7] "Défense du citoyen Louis-Auguste Blanqui devant la Cour d'Assises". Paris: 1832, p. 4.

Interrogado dessa vez diante de um público numeroso e heterogêneo, tampouco duvida em se definir:

— Acusado, levante-se. Como o senhor se chama?
— Louis-Auguste Blanqui.
— Qual a sua idade?
— Sessenta e sete anos.
— Qual é o seu domicílio?
— A prisão.
— Sua profissão?
— Escritor.

Muito diferente da violenta crítica de seus escritos políticos ou da obstinação de sua ação e de suas convicções, A eternidade conforme os astros *é um pequeno livro que chega às setenta páginas em sua edição original de 1872. De circulação escassa, ainda permanece desconhecido entre os estudiosos de literatura, e foi mencionado apenas lateralmente por aqueles que defendiam as diferentes correntes socialistas de um século passado que chegaram a agitar as ideias do século que passou. Foi reeditado por Miguel Abensour e Valentin Pelosse ao se completar o centenário de seu surgimento, junto com outros textos seus de diferente caráter. Da mesma maneira que anunciando o lançamento de sua publicação imediata, seu editor dizia: "Parecia-nos curioso mostrar para nossos leitores como o célebre agitador socialista tratava uma questão científica"; uma publicação muito recente, realizada a partir da primeira edição, interessava-se em revisar a profundidade filosófica dessa meditação literária, sem renunciar a formular uma teoria geral do universo.*[8]

Mesmo aqueles que continuam atentos à repercussão da militância revolucionária de Blanqui e costumam se aproximar deste texto de adesão difícil, ficam desconcertados diante da impossibilidade de in-

[8] Uma antecipação de alguns capítulos foi publicada pela *Revue Scientifique* e em *Le Radical*, em fevereiro de 1872, durante a mesma semana do processo de Blanqui. Depois, no mesmo ano, aparece em versão completa, na editora Germer Baillière. Uma publicação mais recente foi realizada pela Éditions de la Tête de Feuilles. Collection Futur Antérieur: *Instructions pour une prise d'armes, L'éternité par les astres. Hypothèse astronomique et autres textes.*

cluí-lo nas classificações genéricas tradicionais. Por acaso constitui um tratado científico configurado pela imaginação que impugna os rígidos princípios de um positivismo doutrinário demais? É uma meditação filosófica que volta a radicar nos astros as alegorias da eternidade? É um discurso que encontra, nas fraturas da visão poética, as aberturas que a fatalidade da história lhe negava? Apesar de o tema recorrente atender a observação dos sistemas estelares, apesar da precisão química com que descreve as análises espectrais das substâncias que compõem os astros, e de enumerar a quantidade limitada de elementos para conceber um espaço sem limites, a formulação científica desarticula sua rigorosa fundamentação pelo exercício de uma confiança irônica e pela filosofia poética de comentários e conclusões. Seria árduo demais ajustá-lo a taxonomias que distribuíssem as peças do discurso científico por um lado, o filosófico por outro, distantes do poético, ou o compartimentassem nas contrapartidas paródicas que pudessem transformar esses discursos.

Em 1970, Samuel Bernstein dedicou um livro a Blanqui e ao blanquismo em que, sem desatender as referências ideológicas de seu socialismo, ao qual Blanqui denominava "prático", o autor anota as minúcias de suas desventuras na prisão: "devorado pelo tédio, pela ansiedade, pela monotonia, pelo desalento, pelos dias eternamente parecidos, pela imobilidade, pelo vazio, pelo nada". Por isso, tudo requeria ser anotado, inclusive contrastando os detalhes minuciosos de uma rotina anódina da qual costumava evadir-se pela observação das estrelas e pelas divagações do tempo que constituíam suas distrações preferidas.

São inúmeros os livros que tratam de Blanqui e de seus fervorosos acólitos. De sua parte, Maurice Dommanget,[9] Alexandre Zévaès, nos seus, atendendo a doutrina social do blanquismo, a organização dos comitês, as relações com a Internacional, manifestaram a obstinada exasperação revolucionária e o inconformismo ardente de quem se

[9] M. Dommanget. Blanqui. Paris: Librairie de l'Humanité, 1924; Blanqui à Belle-Île. Paris: Éd. de la Librairie du Travail etc.; Blanqui. La guerre de 1870-1871 et la Commune. Paris: Ed. Domat. 1947; Blanqui. Études et documentation internationales. Paris: 1970.

ergue em herói intrépido, decidido a mudar o mundo sem desaminar com os fracassos, as traições, os castigos. Anos depois, conhecida a tenaz recuperação que acomete Walter Benajmin, mais alguns poucos ensaios aludiram a este livro imprevisível.

Em uma carta a Max Horkheimer, Benjamin lhe contava: "Durante estas últimas semanas, tive a sorte de ter um encontro raro cuja influência será determinante para meu trabalho; dei, por acaso, com um dos últimos textos de Blanqui escrito em sua última prisão, o Fort de Taureau. Trata-se de uma especulação cosmológica. Denomina-se A eternidade conforme os astros e que eu saiba, até agora não se lhe prestou nenhuma atenção".[10]

Essas isoladas iniciativas editoriais posteriores se propuseram a revisar os escritos de Blanqui, resgatando-os de um silêncio que parece prolongar as proibições da prisão, confirmar a interdição de quem se debateu, mesmo dentro do cárcere, pela emancipação da classe operária, pela defesa de uma pátria que considerava em perigo, por uma comuna em luta, por associar os rigores da ciência e o conhecimento em uma mesma concepção do universo, onde os cometas, as nebulosas, as estrelas e as teorias que os descrevem e analisam responderiam às mesmas paixões, aos mesmos dramas que os homens e à sorte de seus destinos, duros como as leis que regem a gravidade.

É difícil supor que, ao mesmo tempo que "esta natureza de aço" denunciava e se rebelava contra o despotismo, instruindo sobre a tomada de armas e as forças possíveis de uma propaganda subterrânea, elaborasse, a partir do estudo da natureza e do comportamento dos astros, uma hipótese inesperada, uma verdadeira abdução — em todos os sentidos — uma "suposição genial" e também um "sequestro".

Adotando o discurso científico da época, com o rigor e o vigor do saber, Blanqui formula sua hipótese; uma vontade de ficção, como se se tratasse de uma vontade de verdade, consolida-se à medida que a multiplicação tecnológica de cópias e a proliferação de satélites

[10] Walter Benjamin. *Correspondance*. 1929-1940 (v. 2), edição estabelecida e anotada por Gershom Scholem e Theodor Wiesengrund Adorno.

confirmam a imaginação premonitória de sua visão poética. Similar a essas antecipações fulgurantes, as abduções das quais falava Charles Sanders Peirce, seu rapto é um "act of insight"*, um ato de penetração intelectual e de interioridade inspirada, a visão interior "que nos sacode como um relâmpago", para retomar as palavras do filósofo norte-americano.*

Provavelmente, durante sua estadia em Paris, o próprio Peirce teria ouvido falar de Blanqui, de sua gesta revolucionária, das atividades das sociedades secretas, da peculiaridade de sua hipótese astronômica, dessa iluminação fantástica que foi sua cruzada poética. Colega e amigo de William James, foi este quem aconselhou Peirce a visitar seu irmão, Henry James. Apesar das asperezas de caráter do semioticista ilustre, o romancista se esforçou para introduzi-lo nos clubes literários, onde poderia ter frequentado outros escritores, artistas, alternando nos círculos políticos e poéticos daqueles anos que se concentravam em clubes revolucionários e sociedades secretas, cabarés e boemia: "I did what I could to give him society",[11] *escrevia James a seu irmão William, referindo-se a seu peculiar compatriota. Assíduo na Sociedade Republicana Central de Blanqui, Baudelaire fundou ali um jornal,* A Salvação Pública *(*Le Salut Publique*), em um período no qual a proliferação de jornais só era superada pela multiplicação de clubes. Peirce não podia ignorar a fama do maior conspirador dessa época. Sobretudo quem, na mesma época de sua estadia em Paris, para além da lógica e seus métodos, fez da hipótese uma das figuras básicas de sua doutrina dos signos, um procedimento maior do que Peirce teorizava como mais próximo da criação do que da razão. Seria inverossímil que ignorasse a hipótese astronômica de Blanqui ou suas repercussões, os julgamentos e as sentenças, os artigos nos jornais do próprio Blanqui e daqueles que informavam sobre o grande patriota que pertencia — segundo se estimava — à maior escola francesa, "a de Enrique IV, de Richelieu, da Convenção".*

[11] "Fiz o que pude para situá-lo na sociedade." Joseph Brent. *Charles S. Peirce. A Life*. Bloomington: Indiana University Press, 1993, p. 103. Transcreve uma carta de Henry a William James (14 de março de 1876).

Por outro lado, os severos ataques de Peirce à "fantasia de um universo mecânico, completamente determinado", que propunha o marquês Pierre-Simon de Laplace, sua tendência a aderir a formas de conhecimento não racionais, sua hipótese sobre a eficácia de uma hipótese semelhante à "adivinhação", assimilam aspectos de sua doutrina ao pensamento esotérico de Blanqui, que, de volta das certezas positivistas que em algum momento havia compartilhado, estabelece neste livro uma espécie de alegoria mística.

Contra a rigidez dessa teoria, as fulgurações cosmogônicas da fantasia de Blanqui concederiam ao estudioso norte-americano, como ao célebre prisioneiro, uma espécie de acesso à eternidade: a suspensão do tempo, a semelhança entre corpos em rotação, sua permanência, a fatalidade de um retorno mítico, as reaparições ou "reedições" que retornam uma vez ou outra replicando a monotonia de bilhões de Terras parecidas, a inútil ilusão de qualquer novidade, os acidentes efêmeros que se abismam no infinito, e os empenhos por uma conservação que adiantam o pensamento dos séculos XX ou XXI, e o afã por solucioná-los tecnologicamente.

É estranha essa opção por uma eternidade atualizada em quem quis mudar a história, em quem estampou seu grito Ni Dieu ni Maître *como o negativo título de um jornal e uma consigna que marcou uma época entre várias negações mais. Já se disse que esse título se tornou uma linda divisa do futuro, e que não houve nenhuma outra que tenha tido tanta repercussão.*[12] *Também sua figura deu lugar a descrições entusiastas, mesmo por parte daqueles que não compartilhavam sua perspectiva:*

> *Seu aspecto era distinto, sua vestimenta impecável, a fisionomia delicada, fina e calma, com um ar rude e sinistro que algumas vezes atravessava seus olhos estreitos, pequenos, agudos e, em seu olhar habitual, mais bondosos do que duros; a palavra moderada, familiar e precisa, a palavra menos declamatória que ouvi junto a de Thiers. Quanto ao fundo do discurso, quase tudo era justo. Eu tinha como*

[12] L.-A. Blanqui. *Ni Dieu ni Maître! Les plus belles pensées athéistes et anticlericales d'Auguste Blanqui. 1880-1881*, recopilação de M. Dommanget, Herblay (Seine- et-Oise), Édition de l'Idée Libre, 1930.

vizinho, no Club des Halles, um jovem redator do Journal des Débats, *muito conservador, como tenho a honra de sê-lo eu mesmo, que então debutava e que se destacava pela prudência e pela maturidade de seu espírito. Quantas vezes o ouvi suspirar na ocasião da exposição cotidiana que Blanqui fazia sobre os acontecimentos do lugar, dos erros do governo, das necessidades da situação: "Mas isso tudo é verdade! Mas tem razão! Mas que pena que seja Blanqui!". Eu pensava como ele, falava como ele, mas não suspirava. A verdade é boa, venha de que lado vier.*

Provavelmente, foi durante os enfrentamentos da Comuna quando Blanqui escreveu A eternidade conforme os astros, *embora já tivesse manifestado sua paixão pela astronomia durante sua prisão em Belle-Île, onde chegou a esboçar uma hipótese do universo. Não deve ter transcorrido tempo demais entre a composição deste texto enigmático e os escritos que acumulava "dia a dia", sem reprimir seu alarme, frente a* La Patrie en danger[13] *e que foram publicados postumamente em um livro*[14] *apresentado por Casimir Bouis, que também escreveu o epílogo, em pleno fragor das lutas. Novamente surpreende que no prefácio que escrevera, refira-se a Blanqui nos seguintes termos:*

> *Blanqui é um sábio. Matemático, linguista, geógrafo, economista, historiador, em seu cérebro há toda uma enciclopédia, tanto mais seria quanto teve a ideia de omitir todas suas futilidades, todos esses ouropéis fora de moda com os quais os eruditos de ocasião deslumbram o auditório, e que não servem senão para encher e sufocar a memória. [...]*
>
> *Seus inimigos sabem melhor do que ninguém que é o estadista mais completo que possui a Revolução, e Proudhon, que o conhecia, costumava dizer que era o único.*
>
> *Isso quanto ao político.*
>
> *O homem privado é talvez mais extraordinário ainda.*

Para além dos elogios que abundam nas páginas do prefácio, interessa destacar a observação sobre a devoção prestada por Blanqui aos "princípios eternos" e a importância que atribui a variedade e vastidão de seus conhecimentos, sem passar por cima da aguda capacidade

[13] Id. La Patrie en danger. A. Chevalier, prefácio de Casimir Bouis. Paris: 1871.
[14] Ibid.

que lhe atribui de antecipar os acontecimentos. Nessa introdução, Casimir Bouis impugna as simplificações do estereótipo que reduziu Blanqui à imagem fixa de um rebelde indomável: "É um erro...! Antes de tudo, trata-se de um homem de estudo, um pensador..., só que o pensador se desdobra em herói". Dos artigos desse jornal, que Blanqui costuma culminar com uma frase sentenciosa e poética, similar às cortantes saídas de Lautréamont ou de Laforgue, Blanqui acusa a "imprensa podre", inventa o neologismo "literatontos" para designar tantos jornalistas ineptos, como se previsse a indiferente atenção que, nos jornais, a crítica literária dispensará a este combatente que não foi o único "irregular do socialismo".[15]

Na realidade, não se conhecia o manuscrito de A eternidade conforme os astros *senão a partir das leituras de Geffroy, que começa de maneira lapidar um capítulo sobre sua reclusão no Fort de Taureau, nos seguintes termos: "O que aconteceu em seguida deixará o futuro estupefato".*[16] *Ansioso, com a esperança de que a publicação de seu manuscrito pudesse influir favoravelmente na revisão do processo ao qual novamente seria submetido ou do pronunciamento da sentença, Blanqui urge a Mme. Antoine, uma das mais abnegadas de suas irmãs, para que não demorasse em levar seus escritos para o editor Germer Baillière: "Pode ser que diga que não é sua especialização. Diga-lhe que sim, pelo aspecto metafísico da astronomia! Pertence totalmente à sua especialização. Será necessário adverti-lo de que é completamente alheio ao político e muito moderado em tudo!".*

Mas como não era certo que o editor aceitasse a publicação de sua Hipótese astronômica, *Blanqui já teria sugerido confiá-la a Maurice Lachâtre, antigo membro da Comuna, editor das obras de Karl Marx e também das intermináveis narrações que Eugène Sue estendia em volumosos livros. Quando se deu a morte de Blanqui, foi exatamente Lachâtre quem não evitou cruzar o espaço literário com o espaço*

[15] É A. Zévaès quem atribui esse qualificativo a Jules Vallès.

[16] G. Geffroy. "Notations sur ces cahiers datées le 25 juin 1857", op. cit., p. 232. Trata-se de uma carta citada por M. Abensour e V. Pelosse no prólogo de *Instructions pour une prise d'armes*, que precede a sua reedição de *L'éternité par les astres*, op. cit.

histórico-político em sua homenagem, testemunho do qual deixou constância no final de um romance genealógico de E. Sue, publicado em dez volumes, menos à maneira de epílogo que de manifestação inquietantemente angustiada. Acrescenta ali, além disso, uma breve crônica de seu enterro:

> *Que pena! Agora, quando acabamos de publicar a história de duas famílias de transportados — 5 de janeiro de 1881 —, rendemos os últimos deveres a um dos mártires da democracia, o íntegro e valente A. Blanqui, que passou cerca de quarenta anos nos calabouços da monarquia, sob Luís Felipe I e sob Napoleão III. Cem mil pessoas, homens e mulheres, acompanharam os despojos mortais do grande patriota à sua última morada. [...] Todos esses cidadãos vinham para render sua homenagem a quem mereceu que se lhe nomeasse o Cristo do século XIX. Que o nome de Blanqui permaneça glorificado entre as gerações por sua coragem indomável, seu amor pelo povo e suas virtudes cívicas.*

Mas em nenhum momento Lachâtre mencionou A eternidade... *que ele mesmo, como editor, bem podia ter publicado. Walter Benjamin considerava a respeito do livro que "ao ler as primeiras páginas [...] parece insípido e banal". No entanto, não deixa de comentá-lo, citá-lo, transcrever longas passagens, de cujas engenhosas ficções já não pôde se afastar e a partir das quais se precipitam suas reflexões sobre a impossibilidade do progresso, a inevitabilidade das cópias, os sósias, as repetições, as citações, o eterno retorno.*

Benjamin repara que é nessa ficção em que mais insiste Blanqui sobre a multiplicação dos duplos, sobre as monotonias de uma história que, irrepetível — devido à fugacidade do tempo —, repete-se, no entanto, devido à permanência do espaço, em Terras-sósias, planetas iguais e planos distintos. Blanqui antecipa a profusão de cópias dispersas no espaço, o desalento de um fastio que, sem desespero, prolonga-se para outros meios, as alternativas excludentes ante bifurcações ineludíveis: "Que homem não se encontra às vezes na presença de duas possibilidades?", pergunta-se, convencido, sem amargura, de que "se tome ao acaso ou se escolha, não importa, ninguém escapa da fatalidade".

A antecipação poética de Blanqui não opõe os conflitos da matéria e do cosmos aos acontecimentos do século XIX nem às desventuras de um planeta que não se diferencia das variações mais ou menos infelizes que repetem os milhares de planetas semelhantes. Esse mesmo estranho estatuto de A eternidade..., *que concilia formas de escritura heterogêneas, científicas, filosóficas, míticas, poéticas, habilita a vigência atual de uma imaginação reflexiva que conforma o caráter de uma estética que prolonga no século XXI peculiaridades que já se adiantavam em tempos prévios.*

Blanqui imagina a multiplicação ao infinito de mundos paralelos, os deslocamentos no espaço de uma eternidade posta à prova pela história e, talvez, graças à repetição melancólica dos acontecimentos, certa esperança de um retorno fantasmagórico: "O universo repete-se a si mesmo infindavelmente, em torno de si mesmo. A eternidade joga, imperturbavelmente, no infinito, as mesmas representações".

Daí que um instante se confunda com a eternidade; ambas as instâncias revogam o tempo ou o deixam em suspenso, suspendido, agora, se mantém, maintenant, *apenas um instante, inventando, paradoxalmente, a atualidade de uma eternidade presente sempre em fuga.*

Muito mais paradoxal, a coincidência de que, nesses mesmos anos, em meados da década de 1930, quando Walter Benjamin, fascinado pelas audácias de uma escritura que concebe resignação e rebeldia, dedica sua maior atenção à obra de Blanqui, outros escritores, Jorge Luis Borges e Adolfo Bioy Casares, para além do oceano, em terras distantes e meios distintos, no outro extremo do espectro social e político, frequentam a mesma leitura, experimentando a lucidez de uma fascinação semelhante.

Blanqui, Borges, Bioy. As divergências biográficas e ideológicas poderiam parecer, em uma primeira impressão, aproximações forçadas, quase desaforadas. Cabe reunir os três? Não pode deixar de surpreender essa aliança imprevisível entre escritores de séculos diferentes, oriundos de diversas civilizações, escassamente militantes uns em políticas revolucionárias, responsáveis — como se se dissesse "culpados" — por uma imaginação lúdica que se deleita nos refinamentos de seu jogo intelectual e nos seus gestos de criação em liberdade, com um dos conspiradores mais violentos de um século que soube prodigalizá-los.

Borges e Bioy definem sua escritura intelectual, poética, narrativa, o tom e a trama de suas paródias, as ficções e especulações onde se entrecruzam aventuras em um vertiginoso espaço que se repete em espaços similares, em tempos circulares e regressivos, as especulações ante a duplicação ou desdobramento dos acontecimentos e suas imagens, a bifurcação de universos paralelos que se reproduzem nos caminhos de jardins ou nas prateleiras de bibliotecas, entre originais e cópias que os livros não distinguem, dentro dessa mesma estética fantasmagórica onde reduz a escassa realidade de uma realidade diminuída especiosamente por seus simulacros. Os contos, poemas e ensaios mais conhecidos de Borges, os contos longos de Bioy Casares, suas nouvelles, *fazem da obra de Blanqui uma assiduidade fecunda e feliz.*

Como Borges, como Laforgue, como tantos outros poetas, "Blanqui que nunca foi senão Blanqui", um homem de ação e de coragem, cita, no entanto, o Fragmento número 72 de Pascal ao começar A eternidade: *"O universo é um círculo, cujo centro está em toda parte e a circunferência não está em nenhuma." Poder-se-ia supor que, nesse caso, como acontece com as citações, comprova-se a tendência a voltar a citá-las mais uma vez. Borges cita essa afirmação de Pascal mais de uma vez, remetendo-a aos antecedentes remotos em que sua concepção esférica se identifica com a perfeição divina.*

Talvez fosse necessário fazer o inventário dos contos e romances nos quais este excêntrico livro de Blanqui, a fascinação de suas fantasmagorias espetaculares, o tom cético de uma ironia mais difusa do que brilhante, modula as tiradas fantásticas de Borges e Bioy Casares ou dos autores heterônimos com que ambos, como um só homem, cruzam seus antepassados. Por exemplo, o livro Seis problemas para dom Isidro Parodi, *de H. Bustos Domecq narra a história de um detetive que resolve os enigmas policiais a partir da prisão, ele que teve "a honra de ser o primeiro detetive preso", "alguns afirmavam que era ácrata, querendo dizer que era espiritista". Textos muito posteriores de ambos os autores continuam essa mesma espécie irônica da escritura de Blanqui, nos quais as armadilhas da inserção mediática, sua intermediação e interceptação, as dobras e duplicados de mundos paralelos, maiores ou menores, escondem e* revelam *— velam duas vezes — em vez de descobrir.*

Interessaria apreciar só algumas marcas do "efeito Blanqui" em contos de Borges, seus poemas e seus ensaios, essas obras da imaginação raciocinada que Borges considera raríssimas em espanhol. Em "Tlön, Uqbar, Orbis Tertius" (Salto Oriental, Uruguai, 1940), faz dessa pluralidade de mundos, do deslizamento e penetração, de um em outro, das cópias ubíquas, de sua contraditória combinação original, seu suspense e substância: "As coisas se duplicam em Tlön". Em uma das magistrais narrações do próprio Bioy, A invenção de Morel, *esse romance que Borges não duvida em qualificar de perfeito, o narrador coincide em fazer da pluralidade de mundos, do deslizamento e da penetração de um em outro, das cópias ubíquas, das contradições dessa combinação original, também seus suspense e substância: "Não eram dois exemplares do mesmo livro, e sim duas vezes o mesmo exemplar", diz o narrador de* A invenção, *como costumava dizer, em termos aproximados, o narrador de* A eternidade *com relação aos planetas, aos astros, aos homens e suas peripécias. Borges cita Blanqui no famoso prólogo do romance:*

> *Baste-me declarar que Bioy renova literariamente um conceito que Santo Agostinho e Orígenes refutaram, que Louis-Auguste Blanqui ponderou e que Dante Gabriel Rosseti disse com música memorável.*[17]

[17] J. L. Borges. "Prólogo". In: Adolfo Bioy Casares. *La invención de Morel.* Buenos Aires: 1940.

Abundam outras marcas mais ou menos nítidas, desde a explícita invocação do nome de Blanqui e seu pensamento, até o desconcerto que suscita nos leitores de Borges o diálogo final de "A morte e a bússola":

> — Para a outra vez que o matar — replicou Scharlach —, prometo-lhe esse labirinto que consta de uma única linha reta e que é invisível, incessante.

Dadas as ambiguidades próprias da literatura, o mistério da promessa de outra morte anunciada deveria permanecer sem explicação. No entanto, mesmo observando esse mistério, não se pode descartar, à luz dos mundos alternativos que habilita Blanqui, uma opção que faz da liberdade um destino. Em "O milagre secreto", em "A Biblioteca de Babel", "A outra morte", "Os teólogos", "Três versões de Judas", em tantos outros textos, projetam-se sobre a obra de Borges a sombra de Blanqui e de seus mundos paralelos. Em outro de seus contos, em "O jardim dos caminhos que se bifurcam", diz o narrador:

> Acreditava em infinitas séries de tempos, em uma rede crescente e vertiginosa de tempos divergentes, convergentes e paralelos. Essa trama de tempos que se aproximam, bifurcam-se, cortam-se ou que apenas se ignoram, abarca todas as possibilidades.

O narrador replica, em seus próprios termos, as reflexões que Blanqui elabora em *A eternidade conforme os astros*:

> Tais como os exemplares de mundos passados, tais os dos mundos futuros. Só o capítulo das bifurcações fica aberto para a esperança. Não nos esqueçamos que tudo o que se teria podido ser aqui embaixo, se é em algum outro lugar.

O imaginário de Blanqui é constante também na obra de Bioy Casares: *A invenção de Morel* (1940), "O perjúrio da neve" (1945), *Plano de evasão* (1945), "A trama celeste" (1948), "O lado da sombra" (1962). A presença de Blanqui, de seu livro, é mais do que explícita, *suspeitosamente precisa e até obsessivamente redundante em "A trama celeste" de Bioy Casares, em que é "a razão de ser do conto":*

> *O "mistério" da carta me incitou a ler as obras de Blanqui. Para começar, comprovei que figurava na enciclopédia e que havia escrito sobre temas políticos. Isso me agradou; em meu plano, imediatamente depois das ciências ocultas, vêm a política e a sociologia.*
>
> *Uma madrugada, na rua Corrientes, em uma livraria atendida por um velho esmaecido, encontrei um empoeirado embrulho de livros encadernados em couro pardo, com títulos e filetes dourados; as obras completas de Blanqui. Comprei-as por quinze pesos.*
>
> *Na página 281 da minha edição não há nenhuma poesia. Embora eu não tenha lido a obra integralmente, acredito que o escrito indicado é* L'eternité par les astres, *um poema em prosa. Na minha edição, ele começa na página 307, do segundo volume. Nesse poema ou ensaio, encontrei a explicação da aventura de Morris.*

Continua mencionando, comentando seu texto, transcrevendo-o, como procurando agarrar, se não compreender, por repetição, um além que identifica com a morte, o prodígio, a disposição ou aproximação ao fantástico: "Me pergunto se eu comprei as obras de Blanqui porque estavam citadas na carta que Morris mostrou ou porque as histórias desses dois mundos são paralelas"; mais adiante, diz: "lhe recomendou a leitura de L'eternité par les astres*", e prossegue: "Alegar Blanqui, para encarecer a teoria da pluralidade dos mundos, foi um mérito de [...]", onde o narrador transcreve, com algumas variações, o mesmo texto ao qual Borges alude e que Benjamin também transcreve:*

> *Peguei o livro de Blanqui, coloquei-o debaixo do braço, e fui para a rua. Sentei em um banco do parque Pereyra. Mais uma vez, li este parágrafo: "deve haver infinitos mundos idênticos, infinitos mundos ligeiramente variados, infinitos mundos diferentes. O que escrevo agora neste forte do Toro, já o escrevi e escreverei durante a eternidade, em uma mesa, em um papel, em um calabouço, eternamente parecidos. Em infinitos mundos minha situação será a mesma, mas talvez haja variações na causa do meu encarceramento ou na eloquência ou no tom de minhas páginas".*

Contra a singularidade perdida da obra original, revogada pelos exemplares em tiragens, pela pluralidade de cópias e sua disseminação, pela estratificação de leituras comuns, pelas ambivalências da palavra, a mecânica da multiplicação habilita os encontros e as numerosas interpretações. Essas coincidências enfrentam universos que presumem de seu estatuto de realidade ou de imaginação, reanimam o conflito da verdade e a versão, da fugacidade conhecida, inevitável, exposta à eternidade desconhecida, desejada, dita: "A Poesia é o mais real que existe, é aquilo que só é completamente verdadeiro em outro mundo".[18]

Apostando em outros mundos, Blanqui brinca neste menos lúdico, mais refratário, onde observa que as fragilidades do partido revolucionário só suscitam "o desalento, a indiferença, a abdicação". Em A eternidade..., *não dá trégua à sua impaciência e decreta: "'Ou a ressurreição das estrelas, ou a morte universal...'. É a terceira vez que o repito".*

Impressiona esse tom de informalidade transcendente, de irônica trivialidade "à la Laforgue", de fatalidade gozadora, o tom que marcou definitivamente a escritura de Bioy Casares. Como Blanqui, Bioy se aproxima do mistério do espaço infinito com a mesma naturalidade com que percorreria diariamente a rua Posadas, como se para ele o cosmos e seus segredos e as distrações domésticas e mundanas dessem na mesma.

O narrador se desespera ou se consola diante da certeza da fugacidade de tempos que terminam por voltar ou por não terminar. Em suas ficções, em "A trama celeste" sobretudo, Bioy cita Blanqui extensa, literalmente. De sua parte, a propósito do que Borges denomina "certa fantasia de Laplace", torna a mencioná-lo:

> *(Também pensa — oh, Louis-Auguste Blanqui, oh, Nietzsche, oh, Pitágoras! — que a repetição de qualquer estado comportaria a repetição de todos os outros e faria da história universal uma série cíclica.)*

[18] Charles Baudelaire. *Oeuvres complètes*, v. 2. por Claude Pichois (Texto estabelecido, apres. e anotado.). Paris: La Pléiade, 1976; "Puisque réalisme il y a", *Critique Littéraire*, p. 59.

Convencidos do acerto de buscas tão enigmáticas como metódicas, Blanqui aparece uma vez ou outra, entre livros e estrelas, alternando com a multidão leve de seus sósias, esses semelhantes que existem em infinito número de exemplares, com e sem mudanças, otimistas melancólicos, que acreditam em seus astros que se multiplicam bifurcando-se em perpetuidade. Bioy, Blanqui, Benjamin, Borges ou seus personagens são seduzidos pela hipótese de uma saída plural pela proliferação de tempos que cifram no espaço sua esperança. Do artigo que Borges havia dedicado a Blanqui na revista Sur, *transcrevo umas linhas que guardam coincidências com as citações mencionadas anteriormente e com outras referências a Blanqui que figuram na mesma revista:*

> *Blanqui abarrota de infinitas repetições, não só o tempo, como também o espaço infinito. Imagina que há no universo um número infinito de fac-símiles do planeta e de todas suas variantes possíveis. Cada indivíduo existe igualmente em infinito número de exemplares, com ou sem variações.*

Borges encontra nos escritos de Blanqui o contraforte de uma visão estética que vai além das digressões matemáticas ou das injustiças políticas ou policiais, comprometendo, literariamente, uma espécie de eternidade sub specie *de espaço: "o universo bruscamente usurpou as dimensões ilimitadas da esperança", diz Borges ao finalizar "A biblioteca de Babel".*

Talvez desde o princípio Blanqui tenha previsto esses transbordamentos extraterritoriais e extratemporais:

> *O infinito só se apresenta a nós sob o aspecto do indefinido. Um conduz ao outro, devido à impossibilidade manifesta de encontrar ou mesmo conceber uma limitação para o espaço. Certo, o universo infinito é incompreensível, mas o universo limitado é absurdo. Esta certeza absoluta, de que o mundo é infinito, unida à sua incompreensibilidade, constitui uma das mais irritantes provocações que atormentam o espírito humano. Existem, sem dúvida, em alguma parte, nos globos errantes,*

cérebros suficientemente vigorosos para compreender o enigma impenetrável para o nosso. É preciso que nossa inveja se resigne de que é assim.[19]

Através das épocas e de suas utopias periódicas, os espectros de Blanqui, como seus famosos sósias, fantasmas em eterno retorno, acossam o imaginário desses autores e dessa época. Como se também eles tivessem participado das agitadas sessões da Sociedade Republicana Central, mais conhecida como "Clube Blanqui", sociedade à qual Charles Baudelaire comparecia com frequência e em cuja lembrança, e de memória, traça seu retrato.

Além das afinidades políticas, foram estreitas as conexões entre o poeta e o instigador das barricadas: compartilham a obsessão pela cidade, a aflição ante as demolições, os alvoroços em suas ruas transitadas, a curiosidade indolente do flâneur *e seu tédio, o impotente desespero ante as tempestades do progresso, a angústia do infinito, a fragmentação do indivíduo que se perde na multidão, a necessidade de fugir para outros espaços, longe da Terra: "Não importa onde! Não importa onde! Contanto que seja fora deste mundo!".*

*Formulada como uma "hipótese astronômica" em um século que não a cerceou, Blanqui se debate neste livro contra a história, mas apoiado contra a eternidade, uma aspiração cósmica que espreita outros poetas de seu tempo: a desalentadora "eternulidade" (*éternullité*) que Jules Laforgue inventa; a vasta claridade e a perda de auréola de Baudelaire; os encontros de Arthur Rimbaud em uma eternidade fortuita:*

> *Foi encontrada.*
> *O quê? — A Eternidade.*[20]

Mundos semelhantes às constelações vertiginosas de Mallarmé, nas quais o sentido do verso, de todo o poema, dobra-se ao retomar o acaso do princípio, ao chacoalhar o destino como um copo em um lance de dados, obedecendo a um dos "obscuros convites do acaso".

[19] L.-A. Blanqui. "L'Univers — L'Infini", primeiro capítulo de *L'éternité*..., op. cit.
[20] Arthur Rimbaud. "Éternité", maio de 1872.

Uma página em branco se dobra sobre si mesma refletindo as inscrições do céu estrelado. "Mas" — diz Blanqui —, "como diz meu carcereiro: O senhor está proibido de olhar o mar". Essa não é a única proibição: não olhar para as muralhas, não olhar para o pátio, não olhar pela janela, não olhar o mar, não olhar; no entanto, essas proibições severas demais não impedem Blanqui de espreitar outros mundos, ver mais longe, mais além. Quando Jules Michelet se encontra com Blanqui e o felicita ao vê-lo em liberdade, sua alegria se transforma em perplexidade: esse infatigável lutador lhe confessa que nunca se sentia mais dono de si do que na solidão de sua cela, e nunca mais desamparado do que ao estar fora.[21]

De maneira que não se deve atribuir apenas às atribulações de uma biografia desgraçada, aos acontecimentos dolorosos da Comuna, às traições daqueles que deveriam tê-lo apoiado, à desesperança de seus sucessivos cativeiros, a origem de seu interesse poético pelas estrelas. Recluso na estreiteza de sua cela, nem o confinamento nem as proibições diminuem sua paixão pela astronomia, sua observação minuciosa e sistemática das constelações, a avidez com que explorava os enigmas de um universo ao qual, paradoxalmente, se aproximava mais quanto menos se movia. Da dupla interioridade de sua reclusão, a partir de uma hipótese poética, uma pura conjectura, Blanqui revela uma revolução diferente, uma revolta que imprime um retorno diferente. Voltando de outros espaços, descobre e descreve o movimento que define a trajetória dos astros legitimando réplicas — outra repetição — de acontecimentos que remetem ao princípio, incontáveis fantasmas superpovoam de cópias outras estrelas e planetas, decalques que se desconhecem entre si, dando lugar a uma regressão infinita, uma monotonia de repetições que alteram a eternidade em história.

Lendo esses autores, a situação ou a reflexão se torna duplamente paradoxal: em vez do flâneur *que vaga sem rumo nas ruas de Paris, é Blanqui quem, como um de seus sósias, volta vez ou outra ao encontro*

[21] M. Dommanget. "La vie de Blanqui sous le Second Empire". In: *L'Actualité de l'Histoire*, Paris: n. 30, jan.-mar. 1960.

de escritores e poetas; a figura obsessiva de um preso, um detido, discorre em meio às comoções, semelhante ao passeante que não deixa rastros na multidão. Fascinado pelas passagens e pela visão de um espaço em movimento, de uma arquitetura que se multiplica, Blanqui os percorre com seu pensamento, sem sair do recinto, sem abandonar a intimidade da cela ou a interioridade de seu cérebro, elucidando-o com as luzes do firmamento que não vê, mas conhece.

Baudelaire frequentava o Clube Blanqui, já foi dito. Também, segundo afirma Philippe Soupault, Baudelaire o conhecia e o admirava tanto que encontrou entre os desenhos onde costumava fixar estampas de seu entorno, o retrato de Blanqui que diz — escreve — haver traçado de memória. Segundo Benjamin, Baudelaire alude a Blanqui em vários poemas; não duvida em entrever sua figura no último poema do ciclo intitulado "Revolta":

> Oh príncipe do exílio, a quem fizeram mal,
> que, vencido, te ergues sempre mais forte.
> Tu que do proscrito tens esse olhar alto e calmo
> Que condena a todo um povo ao redor do cadafalso.

Tampouco é difícil presumir que a modernidade teria começado com Blanqui, embora tenha sido Baudelaire quem a abordou e a nomeou. São seus o desalento por causa da inutilidade absurda do progresso, a vertigem da grande cidade, a mitologia da multidão em marcha, os fantasmas do moderno e o demoníaco que acossavam Baudelaire e Edgar Allan Poe. A grande cidade avança: o objetivo que Blanqui não alcançou com as barricadas, Haussmann conseguiu com as demolições que levou a cabo para evitá-las. Um bouleversé *o universo, outro* bulevardizou *a cidade. Da mesma maneira, "os parisienses que transformam a rua em interior"*[22] *começam a abrir entre as casas as inúmeras galerias que alteraram a fisionomia da cidade: "[...] de uma maneira perturbadora, são designadas passagens,*

[22] W. Benjamin. *Paris, capitale du XIXe siècle. Le livre de passages,* op. cit., p. 440.

como se nestes corredores arrancados ao dia não fosse permitido a ninguém parar por mais do que um instante".

*Nessas zonas de ambivalência que atravessam quadras e casas, prolongando o umbral até um fundo que termina em outra entrada, as fronteiras ficam sem se definir: nem rua nem casa, nem exterior nem interior, nem luz nem sombra, um resplendor crepusculento (*crepusculátre*), de jurisdição e justificação duvidosas, "santuários de um culto do efêmero, tornaram-se a passagem fantomática dos prazeres e profissões malditas incompreensíveis e que o amanhã não conhecerá".*[23]

Ao lembrar o fervor revolucionário de Lautréamont, Benjamin faz referência a alguns dos grandes anarquistas que atuaram sem chegar a se comunicar entre si, entre 1865 e 1875, tentando penetrar a ordem cotidiana da cidade, derrubar o estabelecido com suas máquinas infernais. Fala das energias revolucionárias, do crescimento das sociedades secretas e da amarga revolta contra o catolicismo, contra a tradição. Embora não mencione Blanqui, seu nome é lido em filigrana. Mais ainda, apesar de saber que se trata de uma confusão, Walter Benjamin reconhece como inteligente e perspicaz o estratagema de Philippe Soupault, que em sua edição das Obras completas *de Lautréamont (Paris, 1927) apresenta como militância a insurreição do poeta, a vida de Ducasse como uma* vita politica.

"Que Lautréamont tenha sido ou não militante revolucionário, que tenha se dirigido ou não às multidões, interessa-nos pouco", diz André Breton. Em compensação, sim o incomoda a confusão, o embuste de fazer passar um Ducasse por outro, sobretudo porque a inconsistência não fica aí. Em seu Isidore Ducasse, comte de Lautréamont, *François Caradec, com a boa intenção de "descartar toda confusão entre Isidore Ducasse e seu homônimo Frédéric Ducasse", embora anote que "hoje em dia a questão esteja alicerçada", introduz mais um nome que, em vez de esclarecer as identidades em jogo,*

[23] Ibid.

contribui para complicar a perplexidade. Como no teatro, o equívoco não passa disso: um nome por outro ou um personagem por outro; a equivocidade não altera a trama e, inclusive, pode contribuir para animar a ação.

No entanto, a essa altura, poder-se-ia temer que uma espécie de maldição haja caído sobre os nomes, já que a tendência ou a tentação à equivocidade aparece como uma herança natural de tantos sósias e sucedâneos de Blanqui, a quem com frequência se confunde com seu irmão Adolphe, autor de vários livros de economia que, por outro lado, nada têm em comum com as posições de Louis-Auguste.

Em se tratando do conde de Lautréamont, tampouco era imprevisível um Ducasse a mais, ou dois. Uma hipótese etimológica L'autreáMont(evidéu) supõe que Ducasse se transforma em outro ("l'autre") em Paris, por que não se questiona a identidade que funda a alteridade de um poeta que a defende mais do que a si mesmo? De sua parte, vários foram os pseudônimos que designavam Blanqui: Colomb, Denonville, Suzamel, entre outros. Os pseudônimos, os heterônimos, os homônimos atraem uma onomástica abusiva: os Ducasse confundidos, os irmãos Blanqui identificados, ainda se perfila mais um caso, talvez se trate de entrever o esboço de um modelo em perspectiva.

Por outro lado, sabe-se que a irmã mais nova de Blanqui, Uranie, se casou com um proprietário de estaleiros argentinos, com quem partiu da França rumo ao Rio da Prata; também se anota que um de seus barcos, batizado de Auguste Blanqui, destacava em um lugar visível do salão um quadro com sua imagem. Por ora, não é muito mais o que se averiguou. Como os nomes de luta sob os quais se escondia, ou como as letras do acróstico que cifrava o endereço de seu esconderijo, esses dados fragmentários só esboçam mais uma pista da "chegada" de Blanqui ao imaginário dessas latitudes.

Bonheur
Loi
Amour

N'ont
Qu'un
Instant

Da mesma maneira que Walter Benjamin quis reconhecer em Lautréamont, nas transgressões do poeta, uma vita politica, *eu gostaria de fazer desse agitador revolucionário que foi Blanqui, uma* vita literaria. *Talvez seja outra modalidade de blaquismo a qualquer preço fazer de sua insurreição uma ressurreição hipotética, de seu desterro astral, um eterno retorno.*

Quantos conhecem — perguntava-se Geffroy, e a pergunta vale ainda na atualidade — o poeta que escreveu este belo livro que é A eternidade conforme os astros? *A escultura de Jules Dalou no Cemitério Père Lachaise, onde uma flor vermelha fresca contrasta com a escuridão do bronze, o retrato de Eugène Carrière, a estrofe de Eugène Pottier, autor de A Internacional, lembram dele:*

Contra uma classe sem entranhas
Lutando pelo Povo sem pão
Teve quatro muralhas, vivo,
Morto, quatro tábuas de pinho.[24]

Mais do que o blanquismo, Blanqui, ou sua influência — se se entende como o fluxo astral que atua sobre os homens e as coisas —, continua sendo um fenômeno insólito, disseminado em diferentes livros, exemplares e periódicos, reproduzidos como os sósias que havia previsto. Apesar dos fervorosos enfrentamentos já históricos que protagonizou, mais do que seus combates de político revolucionário, é a tenacidade de suas meditações sobre a eternidade alegórica da revolução dos astros — também no sentido astronômico de revolução — a que retorna sub specie aeternitatis, *à maneira de escritura. Nesse sentido, dir-se-ia que sua hipótese não fracassou, nem a revolução permanente que supõe e defende. Talvez essa conjectura*

[24] *Contre une classe sans entrailles,/ Luttant pour le Peuple sans pain,/ Il eut, vivant, quatre murailles,/ Mort, quatre planches de sapin.*

tenha incidido na vigência de seu pensamento, de sua prática fogosa não desvanecida em sistemas e utopias que as iniquidades de outras doutrinas prolongaram até avançado o século XX.

É curioso, de seus vastos escritos, perdura um pequeno livro, desse livro o resumo de alguns capítulos finais, do resumo, um parágrafo. Essas poucas linhas fizeram com que os maiores pensadores e autores, alguns dos mais influentes na segunda metade do século XX, colhessem suas reflexões que se subtraem aos limites da prisão, da língua, da distância e do tempo. Cruzando fronteiras e oceanos, entre milhares de cópias que não só reproduzem originais como também os deslocam, antecipam ou determinam as confusões de uma época que cifra na tecnologia e no espaço sua esperança, embora o próprio espaço não tenha lugar. Imprevisivelmente, em terras distantes, dois, três ou mais escritores escreviam, quase ao mesmo tempo, as mesmas linhas de Blanqui; essa reiteração de cópias justifica a hipótese de que ele havia aventurado tempos atrás. Como em um conto, não faltam coincidências; apenas os nomes diferem e algumas circunstâncias que, igualmente misteriosas, não atenuam o possível assombro.

Montevidéu, Uruguai.

Tradução Maria Paula Gurgel Ribeiro

Este livro foi composto em *Scala* pela *Iluminuras* e terminou de ser impresso em nas oficinas da Meta Brasil Gráfica, em Cotia, SP, sobre papel off-white 80 gramas.